Anne Wilson

BROT BRÖTCHEN *und* GEBÄCK

h.f.ullmann

Brotbacken macht Spaß!

Selbst erfahrene Köche scheuen vor dem Brotbacken zurück, weil sie glauben, es handle sich um eine altmodische, aufwendige Pflicht mit geheimnisvollen Ritualen. Was ist, wenn es mit der Hefe nicht klappt? Das dauert doch stundenlang, bis der Teig aufgegangen ist! Warum sich so viel Arbeit machen, wenn man doch beim Bäcker jederzeit Brot kaufen kann? Wenn aber aus dem Backofen dann der betörende Duft eines frischen Brotes strömt und Sie herzhaft in die erste Scheibe beißen, werden Sie keinerlei Zweifel mehr hegen, ob es der Mühe wert war.

Damit alles klappt, muß man die einzelnen Arbeitsgänge und Zutaten genau kennen.

Trockenhefe: Die Hefe in warmem Wasser auflösen und etwas Zucker zum Aktivieren zugeben. Etwa 5 Minuten an einem warmen Ort gehen lassen. Anschließend sollte die Masse schaumig und etwas voluminöser sein. Wir haben für unsere Rezepte Trockenhefe gewählt, weil sie in jedem Supermarkt erhältlich ist und weil sie sich recht lange hält.

Frische Hefe: Man kann auch frische Bäckerhefe verwenden. 15 g frische Hefe entsprechen einem Tütchen (7 g) Trockenhefe. Frische Hefe bekommt man beim Bäkker und im Supermarkt, allerdings ist ihre Haltbarkeit begrenzt.

Sobald der Hefeansatz schaumig geworden ist, gibt man ihn zusammen mit den übrigen Zutaten zum Mehl.

Mehl: Der Feuchtigkeitsgehalt von Mehl ist je nach Marke und Charge manchmal sehr unterschiedlich. Wir haben jeweils eine Ober- und Untergrenze für die Mehlmenge angegeben (z.B. 3–3 1/2 Becher), um diesen Schwankungen Rechnung zu tragen. Probieren Sie es zunächst mit der Mindestmenge und geben dann bei Bedarf mehr Mehl zu. Lassen Sie den Teig nicht zu trocken werden, denn beim Kneten wird nochmals etwas Mehl aufgenommen.

Kneten: Das Kneten ist ein wichtiger Arbeitsschritt, denn es bestimmt Konsistenz und Biß des fertigen Brotes. Werfen Sie keinesfalls schon nach 5 Minuten das Handtuch: Das Kneten geht ganz einfach, und man findet leicht einen Rhythmus. Halten Sie ein Ende des Teigs mit einer Hand fest und drücken Sie die Masse mit dem Ballen der anderen Hand von sich weg. Nun den Teig wieder zusammenklappen, um 90° drehen und die Bewegung wiederho len. Zum Schluß eine Kugel aus dem Teig formen, der nun glatt und elastisch sein soll. Bei weichen, klebrigen Teigen wie z.B. für Brioches verwendet ma zusätzlich einen Teigschaber.

Gehen lassen: Die Teigkugel in eine gefettete Schüssel legen (damit nichts anklebt) und locker mit gefetteter Frischhaltefolie oder einem sauberen, leicht bemehlten Geschirrtuc abdecken. Den Teig an einem warmen Ort (ru 30 °C sind ideal) gehen lassen. Versuchen Sie nicht, die Sache zu beschleunigen, indem Sie die Temperatur erhöhe denn dadurch bekomn das Brot nur einen unangenehmen Beigeschmack und mögliche weise leidet sogar die Hefe darunter. An eine kühleren Platz braucht

Von links: Coburger, Brotlaib mit Zopf, Weißbrot und ein kleines Vollkornbrot

der Teig länger, jedoch ohne negative Auswirkungen. Zum Schluß soll der Teig auf das Doppelte aufgegangen sein.

Durchwalken: Bei diesem Arbeitsschritt wird der Teig mit der Faust regelrecht geboxt, um Luftblasen herauszudrücken. Danach knetet man ihn nochmals eine Minute locker durch, um ihn zu glätten.

Nun kann der Teig geformt werden. Wie das geht, zeigen zu fast allen Rezepten die Fotos Schritt für Schritt. Verwenden Sie für freigehobene Brote möglichst schwere Backbleche, die sich nicht verbiegen, und für Kastenbrote schwarze Formen.

Für einige etwas aufwendigere Brote benötigt man spezielle Formen. Wir geben jeweils alternativ gebräuchliche Kuchen- oder Brotbackformen an. Halten Sie sich an die vorgegebene Größe der Form, denn diese wirkt sich auf die Backzeit aus. Vor dem Backen müssen die Brote noch einmal gehen.

Backen: Backen Sie Brot wie vorgeschrieben im vorgeheizten Backofen. Am Ende prüft man, ob das Brot gar ist, indem man es aus der Form holt und auf die Unterseite klopft. Ist das Brot gar, klingt es hohl. Falls nicht, läßt man es in die Form zurückgleiten und backt es noch 5–10 Minuten weiter. Anschließend auf einem Kuchenrost auskühlen lassen.

Lagern: Selbstgebackenes Brot hält sich nicht so lange wie gekauftes, weil es keine Konservierungsstoffe enthält. Am besten schmeckt es ganz frisch oder am folgenden Tag getoastet. Luftdicht verpackt hält sich Brot im Gefrierschrank 3 Monate. Bei Zimmertemperatur auftauen und rund 10 Minuten aufbacken.

Brotlaibe

Leckeres Brot ist ganz leicht herzustellen. Diese Grundsorten eignen sich gut fü den Anfang, zumal die wesentlichen Abläufe bei allen Broten gleich sind.

Weißbrot

Den Inhalt eines 7-g-Tütchens Trockenhefe in einer kleinen Schüssel mit 1/8 l Wasser mischen. 1 TL Zucker zugeben. Mit Frischhaltefolie abdecken und 5 Minuten stehen lassen, bis die Oberfläche Blasen wirft.

4 Becher Mehl (Type 405) in eine große Schüssel sieben, 2 EL Vollmilchpulver und 1 EL Zucker zugeben. In die Mitte eine Mulde drükken und die Hefe, 60 ml Speiseöl und 1/4 l warmes Wasser hineingeben. Mit den Händen zu einem weichen Teig verarbeiten. Auf einer bemehlten Arbeitsfläche 10 Minuten kneten, bis der Teig glatt und elastisch ist. Bei Bedarf bis zu 1/2 Becher Mehl zusätzlich einarbeiten, falls der Teig klebt.

In einer großen eingefetteten Schüssel zugedeckt an einem warmen Ort 1 Stunde gehen lassen. Den aufgegangenen Teig durchwalken und 1 Minute kneten.

Die Masse zu Laiben oder Brötchen formen. Mit Frischhaltefolie abgedeckt noch 45 Minuten gehen lassen. In eine gebutterte oder geölte Backform legen oder von Hand formen und auf ein gefettetes Backblech legen.

Backformen 10 Minuten bei 210 °C backen, dann die Temperatur a 180 °C reduzieren und weitere 30–40 Minuten backen. Von Hand geformte Brote 10 Minuten bei 210 °C backen, auf 180 °C reduzieren und nochmals 20–30 M nuten backen, bis sie braun sind.

Die Backzeit hängt von der Brotgröße ab. Als Garprobe kann man ein Holzstäbchen in die Unterseite stechen. Bleibt es beim Herausziehen sauber, ist das Brot gar.
Hinweis~ Die angegebene Teigmenge reicht für 1 großes, 2 mittlere, 3 kleine Brotlaibe bzw. 16–24 Brötchen.

Vollkornbrot
Hierfür verwendet man anstelle des weißen Weizenmehls (Type 405) Weizenvollkornmehl, ansonsten ist die Zubereitung gleich. Soll das Brot lockerer werden, mischt man je zur Hälfte Weiß- und Vollkornmehl.

Freigeschobene Brote
Coburger: Bei diesem runden Krustenbrot wird die Oberfläche unmittelbar vor dem Backen einmal oder mehrmals eingeschnitten.
Cob: Eine Variante des Coburgers, jedoch ohne Einschnitte.

Diese Version gibt es auch in länglicher Form. Nach Belieben mit Einschnitten versehen oder mit leckeren Zutaten bestreuen.

Von unten links im Uhrzeigersinn: Vollkorn-Coburger, freigeschobenes Weißbrot mit Zopf, kleines Vollkornbrot, Kräuterkastenbrot, Weißbrot, helles Coburger mit Muster, ovales Vollkornbrot

Kräuterkastenbrot
Man kann auch den Teig auf 20 × 30 cm ausrollen und mit gehackten frischen Kräutern und feingehackten getrockneten Tomaten bestreuen. Aufrollen und mit der offenen Seite nach unten in eine Backform legen. Wie Weißbrot backen.

Brötchen

Backen Sie Ihr eigenes Sortiment köstlich frischer Brötchen aus Weizen- oder Vollkornbrotteig. Beläge und Glasuren sind auf den Seiten 8–9 beschrieben.

Parker-House-Brötchen
Den Teig für Weiß- oder Graubrot 1 cm dick ausrollen und Kreise von 8 cm Ø ausstechen. Mit einem Messerrücken nicht ganz in der Mitte eine Kerbe einritzen und entlang dieser Falz zusammenklappen. Mit je 5 cm Abstand auf ein gefettetes Backblech legen, zudecken und 20 Minuten gehen lassen. Nach Belieben glasieren und bei 180 °C 15–20 Minuten backen. Foto s. S. 8.

Croissants
Ein halbes Rezept Weiß- oder Vollkornbrotteig verwenden. 1 TL Öl in einer Pfanne erhitzen, 1 feingehackte Zwiebel, 2 Scheiben in feine Streifen geschnittenen Speck und 2 TL gehackten frischen Rosmarin kurz anbraten und abkühlen lassen. Den Teig halbieren und jede Hälfte zu einem Kreis von 30 cm Ø ausrollen. Dünn mit Tomatenmark bestreichen und die Zwiebelmischung daraufgeben. Jeden Kreis in 12 Tortenstücke schneiden und jeweils vom breiten Ende her aufrollen. Auf ein gefettetes Backblech legen, zudekken und an einem warmen Ort 20 Minuten gehen lassen. Mit Eiweiß-Wasser-Glasur bepinseln und 15–20 Minuten bei 180 °C backen.

Von links nach rechts in Reihen: Spiral- und Knotenbrötchen, flache, runde Brötchen, Sesamvariante der Margeritenbrötchen, handgeformte Kräuterbrötchen, Kleeblattbrötchen, aufgeschnittenes Partybrötchen, Croissants und gefüllte Partybrötchen

Spiralbrötchen
Einen Brotteig in etwa 20 gleich große Stücke zerteilen und jedes zu einem 30 cm langen Strang rollen. Zu einer straffen Spirale aufwikkeln, das Ende unterschlagen. Auf ein gefettetes Backblech legen und zugedeckt 20 Minuten gehen lassen. Nach Belieben glasieren oder bestreuen und 15–20 Minuten bei 180 °C backen.

Knotenbrötchen
Einen Brotteig in etwa 20 gleich große Stücke zerteilen. Jedes zu einem 30 cm langen Strang rollen, locker verknoten und wie bei Spiralbrötchen weiter vorgehen.

Längliche Brötchen
Einen Brotteig in etwa 20 gleich große Stücke zerteilen und zu ovalen Brötchen formen. So belassen, an der Oberseite längs einritzen oder zweimal diagonal einkerben. Wie bei Spiralbrötchen weiter vorgehen.

Gefüllte Partybrötchen
Aus einem Brotteig etwa 20 Kugeln formen. Diese zu Kreisen von 10 cm Ø ausrollen. 1 TL einer beliebigen Füllung in die Mitte setzen und den Teig ringsum darüberklappen. Mit den Rändern nach unten auf ein Backblech legen und wie bei Spiralbrötchen weiter vorgehen.

Kleeblattbrötchen
Einen Brotteig in etwa 20 gleich große Stücke zerteilen und aus jedem 3 Kugeln formen. Je drei Kugeln als Kleeblätter auf ein gefettetes Backblech legen. Wie bei Spiralbrötchen weiter vorgehen.

Margeritenbrötchen
Einen Brotteig in etwa 20 gleich große Kugeln zerteilen und mit der Hand etwas flachdrükken. Mit einer Schere den Rand im Abstand von etwa 2 cm fünfmal einschneiden. Mit jeweils 5 cm Abstand auf ein gefettetes Backblech legen: Wie bei Spiralbrötchen weiter vorgehen.

Beläge, Glasuren und Füllungen

Mit diesen Zutaten kreieren Sie ihre eigenen Brot- und Brötchenspezialitäten, mal mit fein glänzender Oberfläche, mal mit kräftigem Käse- oder Kräuteroma

Beläge

Vor dem Backen bestreut man den Teig mit Mehl, Haferflocken, grobem Salz, Weizenschrot oder Käse. Lecker sind auch Samen wie Mohn, Sesam, Kümmel, Dill, Fenchel und Sonnenblumen- oder Kürbiskerne.
1 EL Tomatenmark mit 2 EL Olivenöl verrühren, auf den Teig streichen und mit Thymian oder Rosmarin bestreuen.

Glasuren/ Überzüge

Vor dem Backen:
Dunkle Kruste: 1 Ei mit 1 TL Wasser verquirlen.
Sehr dunkle Kruste: 1 Eidotter mit 1 TL Wasser verquirlen.
Dunkle, glänzende Kruste auf pikanten Broten: 1 Ei mit 1 TL Öl, Salz und Pfeffer verquirlen.
Krosse Kruste: 1 Eiweiß und 1 TL Wasser verquirlen.
Schimmernder Glanz: Mit Milch oder zerlassener Butter bestreichen.
Nach dem Backen:
Weiche Kruste: Den heißen Laib mit zerlassener Butter bestreichen. 2 Minuten weiterbacken, noch einmal mit Butter bestreichen, fertig.
Glänzende Kruste: 1 Eiweiß mit 1 EL Wasser verquirlen. Das noch heiße Brot damit bepinseln, noch 5 Minuten backen. Abkühlen lassen
Süße, glänzende Kruste: 1 EL Zucker mit 2 EL Milch verrühren. Das heiße Brot damit bepinseln. 5 Minuten backen, dann abkühlen lassen.
Zuckerglasur: 1/4 Becher Zucker bei geringer Hitze in 2 EL Wasser auflösen, dann 2 Minuten zu Sirup einkochen. Das Brot aus dem Ofen nehmen und damit bestreichen.

Gelatineglasur: 1 EL Wasser, 1 TL Zucker und 1 TL Gelatinepulver in einer kleinen Schüssel verrühren und im Wasserbad auflösen. Heißes Brot damit bestreichen.
Honigglasur: Den Honig erwärmen und das heiße Brot damit 2–3 Mal bepinseln.
Aprikotieren: 1/2 Becher Aprikosenmarmalade passieren und mit 2 TL warmem Kognak verrühren. Das heiße Brot mehrfach einpinseln.

Aromen

Man knetet Samen oder Kräuter in den Teig oder bestreut den ausgerollten Teig mit Gewürzen und rollt ihn auf.
Kräutermischung: 2–3 EL gehackten frischen oder je 1 TL getrockneten Thymian und Rosmarin mischen, evtl. 1–2 Knoblauchzehen dazugeben.
Samen: 2–3 EL Kümmel-, Fenchel-, Dill- oder Anissamen zugeben.
Käse und Kräuter: 1 Becher geriebenen Cheddar, 1/2 Becher geriebenen Parmesan, 1/4 TL Knoblauchpulver, 2 EL gehackte Petersilie und je 1/2 TL getrockneten Thymian, Oregano und Majoran zugeben.
Oliven: 1–2 Becher gehackte Oliven und 2 EL gehackte frische Kräuter zugeben.
Zwiebeln und Speck: 1 große Zwiebel feinhakken und mit 2 in feine Streifen geschnittenen Scheiben Speck in Öl anbraten. 2 EL frische Schnittlauchröllchen zufügen.

Von links: Knoten- und Kleeblattbrötchen mit Eiweiß-Wasser-Glasur, längliches Brötchen und Spiralbrötchen mit Eiweißglasur, Kräuterbrötchen mit Eidotter-Wasser-Glasur, Parker-House-Brötchen mit Ei-Wasser-Glasur, drei Reihen Brötchen mit verschiedenen Belägen und Glasuren, gefüllte Partybrötchen mit Eidotterglasur und Samen.

Nüsse: 2 Becher ganze oder gehackte Nüsse zum Teig geben.
Getrocknete Tomaten: 1/2 Becher abgetropfte und gehackte getrocknete Tomaten oder Pimientos (in Dosen eingelegte Paprika), 4 gehackte Lauchzwiebeln und 2 EL frische Kräuter zugeben.

Sauerteigmischbrot

Zubereitungszeit:
40 Min.
+ 1–3 Tage Ansatzzeit
+ 1½ Std. Ruhezeit
Backzeit:
40 Min.

Ergibt 2 Laibe

Sauerteigansatz
1 Tütchen Trockenhefe
1 TL Zucker
2 Becher Roggenmehl
450 ml warmes Wasser

Brotteig
1 Becher Roggenmehl
3½–4½ Becher Weizenmehl (Type 405)
¼ Becher brauner Zucker
3 TL Kümmelsamen, im Ganzen
2 TL Salz
1 Tütchen Trockenhefe, zusätzlich
¼ l warmes Wasser, zusätzlich
60 ml Öl

1 Für den Sauerteigansatz: Hefe, Zucker und Roggenmehl mit Wasser verrühren. Unter Frischhaltefolie über Nacht bei Zimmertemperatur ruhen lassen. Wenn es saurer werden soll, bis zu 3 Tagen stehen lassen.

2 Für den Brotteig: Ein Backblech mit Öl einpinseln. In einer großen Schüssel beide Mehle, Zucker, Kümmel und Salz mischen. Die Hefe im warmen Wasser auflösen. In die Mitte des Mehls eine Mulde drücken, den Sauerteig, die aufgelöste Hefe und das Öl hineingeben. Mit einem Holzlöffel durcharbeiten, dann mit den Händen zu einem etwas klebrigen Teig verkneten, bis sich die Masse von der Schüsselwand löst. Bei Bedarf etwas Mehl zufügen.

3 Auf einer bemehlten Arbeitsfläche 10 Minuten kneten, dabei nach Bedarf das restliche Mehl einarbeiten. Den Teig in eine große gefettete Schüssel legen und mit Frischhaltefolie abgedeckt 45 Minuten an einem warmen Ort gehen lassen. 1 Minute kräftig durchkneten. Den Teig halbieren und zu länglichen Laiben formen. Auf ein Backblech legen, mit Roggenmehl bestreuen. Mit dem Stiel eines Holzlöffels 3 cm tiefe Löcher in die Oberfläche drücken oder mit einem Messer dreimal einschneiden. In Frischhaltefolie gewikkelt 45 Minuten an einem warmen Ort gehen lassen. Mit etwas Mehl bestreut im vorgeheizten Backofen 40 Minuten bei 180 °C backen. Die Garprobe mit einem Holzstäbchen vornehmen. Auf einem Kuchengitter auskühlen lassen. Mit Käse und Cornichons servieren.

Hinweis Wenn Sie kein großes Backblech haben, backen Sie die Laibe einzeln. Lassen Sie die zweite Teighälfte nochmals gehen, während der erste Laib backt. Kann auch in der Kastenform gebacken werden.

Das Brot hält sich luftdicht verpackt 5 Tage.

In die Mitte der Mehlmischung eine Mulde drücken und den Sauerteig hineingeben.

Den Teig zu Laiben formen und auf das vorbereitete Backblech legen.

Focaccia

Zubereitungszeit:
50 Min.
+ 2 Std. Ruhezeit
Backzeit:
25 Min.

Ergibt 1 flaches Brot

1 Tütchen Trockenhefe
1/4 l warmes Wasser
1 TL Zucker
2 EL Olivenöl
3–3 1/4 Becher Weizenmehl (Type 405)
1 EL Sahne- oder Trockenmilchpulver
1/2 TL Salz

Belag
1 EL Olivenöl
1–2 Knoblauchzehen, zerdrückt
12 schwarze Oliven
frische Rosmarinzweige
1 TL getrockneter Oregano
1–2 TL grobes Meersalz

1 Eine rechteckige Backform (28 × 18 cm) mit Öl einpinseln. Hefe, Wasser und Zucker in einer großen Schüssel mischen und die Hefe unter Rühren auflösen. Mit Frischhaltefolie bedeckt rund 10 Minuten schaumig werden lassen. Öl zugeben, 3 Becher Mehl, Milchpulver und Salz zur Hefe geben und mit einem Holzlöffel gut durcharbeiten. Noch so viel Mehl zufügen, daß ein weicher Teig entsteht, dann auf eine bemehlte Arbeitsfläche geben.

2 10 Minuten kneten, bis der Teig glatt und elastisch ist. Den Teig in eine große gefettete Schüssel legen, die Oberfläche mit Öl einpinseln. Mit Frischhaltefolie abgedeckt 1 Stunde gehen lassen. Den Teig durchwalken und noch 1 Minute energisch kneten. Zu einem 28 × 18 cm großen Rechteck ausrollen und in die vorbereitete Form legen. Bedeckt mit Frischhaltefolie an einem warmen Ort weitere 20 Minuten gehen lassen. Mit dem Stiel eines Holzlöffels in die Oberfläche 1 cm tiefe Löcher drücken. Mit Frischhaltefolie abgedeckt 30 Minuten beiseite stellen, bis der Teig gut aufgegangen ist.

3 **Für den Belag:** Olivenöl und Knoblauch mischen und auf die Oberfläche streichen. Oliven und Rosmarin darauflegen, mit Oregano und Salz bestreuen.

4 Den Backofen auf 180 °C vorheizen. In 20–25 Minuten goldgelb und knusprig backen. In große Vierecke schneiden und warm servieren

Hinweis Schmeckt am besten frisch, kann aber aufgebacken werden.

Die Hefemischung an einem warmen Ort 10 Minuten gehen lassen.

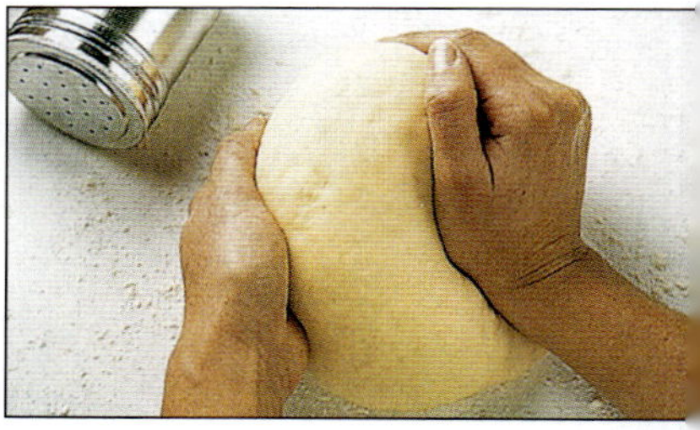

Den Teig 10 Minuten kneten, bis er glatt und elastisch ist.

Den Teig in einer gefetteten Schüssel 1 Stunde gehen lassen.

Mit einem Holzlöffelstiel in gleichmäßigen Abständen Löcher in den Teig drücken.

Pariser Baguette

Zubereitungszeit:
25 Min.
+ $1\frac{3}{4}$ Std. Ruhezeit
Backzeit:
30 Min.

Ergibt 1 großen Laib

- **$2\frac{1}{4}$–$2\frac{1}{2}$ Becher Weizenmehl (Type 405)**
- **$\frac{1}{4}$ Becher Weizenvollkornmehl (Type 1050 oder höher)**
- **1 TL Salz**
- **1 Tütchen Trockenhefe**
- **$\frac{1}{4}$ l warmes Wasser**
- **1 Eiweiß**
- **1 EL Wasser, zusätzlich**

1 Ein großes Backblech oder eine Baguetteform mit zerlassener Butter oder Öl einpinseln. $2\frac{1}{4}$ Becher Weißmehl mit Vollkornmehl und Salz in eine große Schüssel geben und in die Mitte eine Mulde drücken. Die Hefe in dem warmen Wasser auflösen und zum Mehl geben. Mit einem Holzlöffel den Teig zu einer etwas klebrigen Kugel verarbeiten.

2 Teig auf einer bemehlten Arbeitsfläche 10 Minuten lang zu einem glatten, elastischen Teig verkneten, dabei nach Bedarf das restliche Mehl einarbeiten. Den Teig in eine große gefettete Schüssel legen und die Oberfläche mit Öl einpinseln. Abgedeckt an einem warmen Ort 1 Stunde gehen lassen.

3 Den Teig 1 Minute energisch weiterkneten. Zu einem 45 × 18 cm großen Rechteck flachdrücken oder ausrollen. Fest zu einer langen Stange aufrollen. Die Enden spitz zulaufen lassen und den Teig quer auf das vorbereitete Blech oder in die Form legen und mit Frischhaltefolie bedeckt an einem warmen Ort 40 Minuten gehen lassen.

4 Den Backofen auf 210 °C vorheizen. $\frac{1}{2}$ l heißes Wasser in eine flache Backform gießen und auf den Boden des Backofens stellen (so bekommt das Brot eine krosse Kruste). Das Eiweiß mit dem zusätzlichen Wasser verquirlen und das Brot damit einpinseln. Die Oberfläche im Abstand von rund 5 cm schräg mit einem scharfen Messer einschneiden. 15 Minuten im vorgeheizten Backofen backen, dann die Temperatur auf 180 °C reduzieren. Die Baguette rasch noch einmal mit der Glasur bestreichen und weitere 15 Minuten backen. Stürzen und auf einem Kuchengitter abkühlen lassen. Zu Weichkäsen wie Camembert oder Brie oder einfach mit Butter servieren. Schmeckt auch toll als Beilage zu Salaten, Suppen und Nudelgerichten.

Hinweis Baguettebrot schmeckt nur frisch am gleichen Tag. Man kann es auch einfrieren und später für einen Imbiß rasch aufbacken.

Sie können aus dem Teig auch 6–8 einzelne Brötchen formen. Dafür aus dem Teig Kugeln bilden und sie 10 Minuten bei 180 °C backen. Die Temperatur auf 160 °C reduzieren und in weiteren 10 Minuten fertigbacken.

Formen für Baguettebrote bekommt man in gut sortierten Küchenfachgeschäften.

Mit einem Holzlöffel Mehl und aufgelöste Hefe zu einer klebrigen Kugel verkneten.

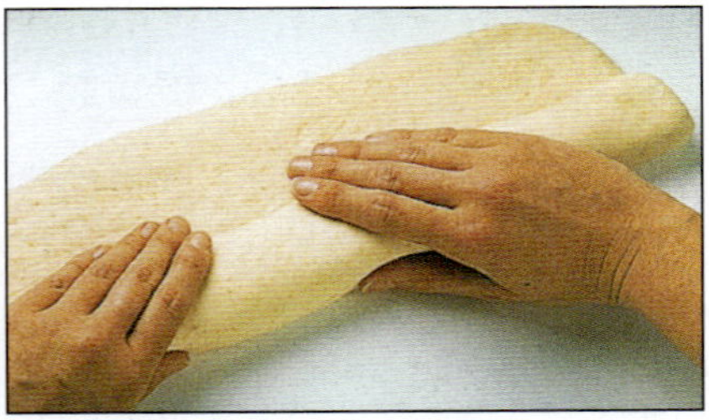

Den ausgerollten Teig zu einer langen Stange formen.

Maisbrot

Zubereitungszeit:
15 Min.
Backzeit:
25 Min.

Ergibt 1 Brotlaib (20 cm)

1 Becher Maismehl (Polenta)
2 EL Zucker
1 Becher Weizenmehl (Type 405)
2 TL Backpulver
1/2 TL Backnatron
1/2 TL Salz
1 Ei, verquirlt
1/4 l Buttermilch
60 g Butter, zerlassen

1 Den Backofen auf 210 °C vorheizen. Eine quadratische Backform (20 × 20 cm) mit Öl einpinseln und den Boden mit Backpapier auslegen. Maismehl und Zucker in eine große Schüssel geben, das gesiebte Mehl, Backpulver, Natron und Salz zufügen und alles gut durcharbeiten.

2 Verquirltes Ei mit Buttermilch und zerlassener Butter verrühren. Diese Mischung rasch mit den übrigen Zutaten vermengen. Nur so lange rühren, bis alle Zutaten befeuchtet sind.

3 Masse in die vorbereitete Form gießen und Oberfläche glätten. Gut 20 Minuten backen, mit einem Stäbchen die Garprobe machen. In der Form auf einem Kuchengitter 10 Minuten abkühlen lassen und stürzen. In Vierecke schneiden und warm mit Butter und Käse servieren.

Hinweis Schmeckt am besten ganz frisch. Maismehl bekommen Sie in jedem Bioladen und Reformhaus und in vielen Supermärkten.

Bierbrot

Zubereitungszeit:
10 Min.
Backzeit:
40 Min.

Ergibt 1 Laib

3 1/4 Becher Weizenmehl (Type 405)
3 TL Backpulver
1 TL Salz
1 EL Zucker
2 TL Dillsamen, im Ganzen
50 g Butter, gewürfelt, Zimmertemperatur
3/8 l Bier
1/4 Becher Weizenmehl, zusätzlich
Dillsamen, zusätzlich
grobes Meersalz

1 Den Backofen auf 210 °C vorheizen. Ein Backblech mit Öl einpinseln. Mehl, Backpulver und Salz in eine große Schüssel sieben. Zucker und Dillsamen unterziehen. Mit den Fingern die Butterwürfel mit der Mehlmischung verreiben. In die Mitte eine Mulde drücken und das Bier hineingießen. Mit einem Holzlöffel rasch zu einem weichen Teig verarbeiten.

2 Auf einer bemehlten Arbeitsfläche 1–2 Minuten kneten, dabei die Hände ebenfalls gut bemehlen. Zu einer glatten Kugel formen, etwas abflachen und mit dem Messerrücken in der

Maisbrot (oben rechts) und Bierbrot

Mitte 2 cm tief eindrükken. Die Oberfläche mit Wasser bestreichen und großzügig mit zusätzlichen Dillsamen und grobem Meersalz bestreuen.

3 20 Minuten backen, dann Temperatur auf 180 °C reduzieren und noch 15–20 Minuten backen. Als Garprobe auf die Unterseite klopfen. Klingt es hohl, ist das Brot gar. Aus dem Ofen nehmen und abkühlen lassen.

Hinweis Am besten noch am selben Tag essen, läßt sich aber auch gut einfrieren.

Kartoffelbrot

Zubereitungszeit:
45 Min.
+ 2 Std. Ruhezeit
Backzeit:
35 Min.

Ergibt 1 Laib (25 cm)

1 Tütchen Trockenhefe
60 ml warmes Wasser
3 1/2–4 Becher Weizenmehl (Type 405)
1 TL Salz
2 EL Sahne- oder Trockenmilchpulver
1 Becher Kartoffelpüree, noch warm
1/2 Becher frische Schnittlauchröllchen
1/4 l warmes Wasser, zusätzlich
1 Eiweiß zum Einpinseln
2 TL kaltes Wasser
Sonnenblumen- oder Kürbiskerne

1 Eine Springform (26 cm Ø) mit Öl einpinseln. Den Boden mit Backpapier auslegen. Hefe im warmen Wasser auflösen, und abgedeckt 5 Minuten gehen lassen. Mehl sieben und mit Salz und Milchpulver in eine große Schüssel geben. Mit einer Gabel Kartoffeln und Schnittlauch einarbeiten. Die Hefemischung und das zusätzliche Wasser zugeben und gut vermengen. So viel von dem restlichen Mehl zugeben, daß ein weicher Teig entsteht. 10 Minuten kneten, Teigoberfläche einölen und 1 Stunde gehen lassen. Durchwalken und aus dem Ganzen 12 Kugeln formen.

2 Die Kugeln rosettenförmig in zwei Schichten zu je sechs in die Form legen und mit Frischhaltefolie abgedeckt 45 Minuten gehen lassen, bis der Teig die Oberkante erreicht. Eiweiß mit Wasser verrühren und die Oberfläche damit einpinseln; die mittlere Kugel mit den Kernen bestreuen.

3 Den Backofen auf 210 °C vorheizen. Das Brot 15 Minuten backen, dann die Temperatur auf 180 °C reduzieren und weitere 20 Minuten backen. Mit einem Holzstäbchen die Garprobe machen. 10 Minuten ruhen lassen, stürzen und auf einem Kuchengitter abkühlen lassen. Mit Kräuterbutter servieren.

Hinweis Je nach Feuchtigkeitsgehalt der Kartoffeln muß eventuell zusätzlich Mehl eingeknetet werden, damit der Teig weich bleibt und nur leicht klebt. Kartoffelbrot bleibt luftdicht verpackt bis zu 3 Tage frisch und lecker.

Mit einer Gabel Kartoffeln und Schnittlauch unter das Mehl mischen.

Den Teig durchwalken und 1 Minute weiterkneten.

Zwei Schichten zu je 6 Kugeln gleichmäßig margeritenförmig in die Backform legen.

Die mittlere Kugel mit Sonnenblumenkernen bestreuen.

Pumpernickel

Zubereitungszeit:
1 Stunde
+ 2½ Stunden Ruhezeit
Backzeit:
50 Min.

Ergibt 2 Laibe

2 Tütchen Trockenhefe
¼ l warmes Wasser
1 TL Zucker
½ l kaltes Wasser
¼ Becher Zuckerrübenkraut
60 ml Apfelessig
90 g Butter
30 g Bitterschokolade, gehackt
1 EL Instantkaffeepulver
3½–4½ Becher Weizenmehl (Type 405)
3 Becher Roggenmehl
1 Becher Weizenkleie
1 EL Kümmelsamen
2 TL Fenchelsamen
1 TL Salz
1 Eiweiß
1 EL Wasser, zusätzlich
Kümmelsamen, zusätzlich

1 Eine Springform (20 cm Ø) und eine Kastenform (28 × 12 cm) einfetten und die Böden mit Backpapier auslegen. Hefe im warmen Wasser auflösen und den Zucker zugeben. Mit Frischhaltefolie abgedeckt 5 Minuten schaumig werden lassen. Das kalte Wasser mit Rübenkraut, Essig, Butter, Schokolade und Kaffeepulver in einem Topf sanft erwärmen, bis Butter und Schokolade geschmolzen sind.

2 3½ Becher Weißmehl mit Roggenmehl, Kleie, Kümmel-, Fenchelsamen und Salz in einer großen Schüssel vermengen. In die Mitte eine Mulde drücken, Hefe und warme Schokoladenmasse hineingießen. Zunächst mit einem Holzlöffel, dann mit den Händen kneten, bis der Teig sich von den Wänden der Schüssel löst und eine klebrige, feste Kugel bildet.

3 Auf einer bemehlten Arbeitsfläche 10 Minuten kneten, dabei so viel von dem restlichen Mehl einarbeiten, bis der Teig zwar schwer, aber glatt und elastisch wird. Halbieren und in zwei gefettete Schüsseln legen. Die Oberflächen mit zerlassener Butter einpinseln. Mit Frischhaltefolie bedeckt 1¼ Stunden gehen lassen, dann durchwalken und noch 1 Minute kneten. Zwei Laibe formen und in die vorbereiteten Backformen legen. Mit Frischhaltefolie fest abgedeckt eine weitere Stunde gehen lassen.

4 Den Backofen auf 180 °C vorheizen. Eiweiß mit Wasser verrühren, die Oberflächen damit einpinseln und mit Samen bestreuen. 50 Minuten backen, bis das Brot schön braun ist. In den letzten 15 Minuten die Laibe mit Alufolie abdecken, damit sie nicht zu dunkel werden. In den Formen 15 Minuten ruhen lassen, dann die Brote stürzen und auf einem Kuchengitter auskühlen lassen. Mit Weichkäse, Oliven, Räucherlachs und Dillgurken servieren.

Hinweis Jede knapp 2 Liter fassende Backform eignet sich hierfür.

Das Brot hält sich gut verschlossen 1 Woche.

Hefe und aufgelöste Schokolade zum Mehl geben.

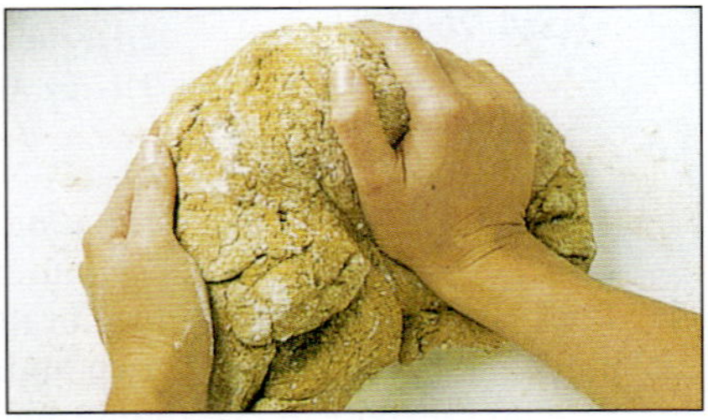

Den Teig auf einer stark bemehlten Arbeitsfläche 10 Minuten kneten.

Stuten

Zubereitungszeit:
10 Min.
Backzeit:
35–40 Min.

Ergibt 1 runden Laib

- **3 Becher Weizenmehl**
- **1 Becher Vollkornmehl**
- **1 TL Backpulver**
- **1 TL Salz**
- **380–430 ml Milch**
- **30 g zerlassene Butter**

1 Den Backofen auf 210 °C vorheizen. Ein Backblech mit Öl einpinseln. Mehle, Backpulver und Salz in eine große Schüssel geben und eine Mulde hineindrücken.

2 Milch mit Butter verrühren und 380 ml davon zum Mehl gießen. Mit einem Messer rasch locker durcharbeiten. Ist die Masse zu fest, die restliche Milch zugeben. Kneten, bis der Teig sich als rauhe, etwas klebrige Kugel vom Rand der Schüssel löst.

3 Auf einer bemehlten Arbeitsfläche durchwalken und 1 Minute kneten. Zu einer weichen, 18 cm dicken Kugel formen. Auf das vorbereitete Backblech legen und etwas flachdrücken. Mit einem scharfen Messer zwei 2 cm tiefe Kreuze einschneiden. Die Oberfläche mit Milch bepinseln und mit etwas Vollkornmehl bestreuen.

4 15 Minuten backen, dann die Temperatur auf 180 °C reduzieren und weitere 20–25 Minuten goldgelb backen. Die Unterfläche des Brotes sollte beim Klopfen hohl klingen. Auf einem Kuchengitter abkühlen lassen. In Scheiben schneiden und mit Butter oder auch mit Marmelade servieren.

Hinweis Schmeckt am besten frisch.

Wenn Sie nur Weißmehl nehmen, wird der Stuten lockerer, je zur Hälfte Weiß- und Vollkornmehl ergibt ein schwereres Brot.

Zwiebelbrot

Zubereitungszeit:
10 Min.
Backzeit:
1 Std. 20 Min.

Ergibt 1 Laib

- **2 EL Olivenöl**
- **2 Zwiebeln, in dünne Scheiben geschnitten**
- **3 Becher Mehl**
- **1 1/4 TL Backpulver**
- **1 Tüte (35 g) franz. Zwiebelsuppe**
- **1/2 l Buttermilch**
- **1/4 Becher Mehl**
- **Milch zum Einpinseln**

1 Backblech einfetten, Backofen auf 180 °C vorheizen. Das Olivenöl in einer großen Pfanne erhitzen und die Zwiebeln darin unter Rühren 20 Minuten bei geringer Hitze braten, bis sie sehr weich und leicht gebräunt sind. Auf Küchenpapier abtropfen und abkühlen lassen.

2 In einer Schüssel Mehl, Suppenpulver und die Hälfte der Zwiebeln mischen. In die Mitte eine Mulde drücken.

3 Die Buttermilch auf einmal zugießen und zu

Stuten (oben) und Zwiebelbrot

einem weichen, klebrigen Teig vermengen. Auf einer bemehlten Arbeitsfläche zügig so viel zusätzliches Mehl einkneten, daß eine glatte Teigkugel entsteht.

4 Auf das Backblech legen und zu einem länglichen Laib formen. Mit einer Schere die Oberfläche in je 3 cm Abstand einschneiden, mit Milch einpinseln. 45 Minuten backen. Aus dem Ofen nehmen und die restlichen Zwiebeln auf die Oberfläche streuen, dann noch 10–15 Minuten weiterbacken, bis der Boden hohl klingt. Auf einem Kuchengitter abkühlen lassen.

Hinweis Schmeckt am besten am selben Tag, läßt sich aber auch gut aufbacken.

Rosenbrötchen

Zubereitungszeit:
40 Min.
+ 2 Std. Ruhezeit
Backzeit:
25 Min.

Ergibt 10 Stück

1 Tütchen Trockenhefe
2 EL warmes Wasser
50 g Butter, Zimmertemperatur
60 ml kaltgepreßtes Olivenöl
1/4 Becher Zucker
300 ml warmes Wasser, zusätzlich
4 1/4–4 1/2 Becher Weizenmehl (Type 405), gesiebt
1 TL Salz
Milch zum Einpinseln

1 Ein Backblech mit Öl einpinseln. Die Hefe in dem warmen Wasser auflösen. Mit Frischhaltefolie abgedeckt 5 Minuten lang schaumig werden lassen. Die Hefemischung, Butter, Öl, Zucker und das zusätzliche Wasser in einer großen Schüssel vermengen.
2 4 1/4 Becher Mehl und Salz zur Hefemasse geben. Mit einem Holzlöffel vermischen, bis der Teig sich als rauhe, klebrige Kugel von der Schüsselwand löst. Auf einer bemehlten Arbeitsfläche 10 Minuten zu einem glatten, elastischen Teig verkneten, bei Bedarf das restliche Mehl einarbeiten. In eine große gefettete Schüssel legen, die Oberfläche mit Öl einpinseln. Mit Frischhaltefolie bedeckt etwa 1 Stunde gehen lassen
3 1 Minute kräftig kneten. Den Teig in 10 gleich große Stücke teilen, jedes zu einer glatten Kugel formen. Auf das vorbereitete Blech legen. Mit einem runden Ausstecher (3 cm Ø) jede Kugel in der Mitte eindrücken und mit einem scharfen Messer den Rand fünf Mal etwa 1 cm tief einschneiden. Mit Frischhaltefolie bedeckt etwa 1 Stunde gehen lassen.
4 Den Backofen auf 180 °C vorheizen. Die Brötchen mit Milch bepinseln und eine feine Schicht Mehl daraufsieben. 25 Minuten backen und auf einem Kuchengitter abkühlen lassen.

Hinweis Wenn Sie kein großes Backblech haben, backen Sie die Brötchen in zwei Durchgängen. Die eine Hälfte des Teiges gehen lassen, während die andere backt.

Die Brötchen schmecken frisch am besten. Sie können bis zu 1 Monat eingefroren werden.

Die Oberfläche der Teigkugel mit zerlassener Butter oder Öl einpinseln.

Mit einem runden Ausschneider jedes Brötchen in der Mitte einkerben.

In gleichmäßigen Abständen ringsum das Brötchen einschneiden.

Vor dem Backen etwas Mehl auf die Rosenbrötchen sieben.

Grissini

Zubereitungszeit:
40 Min.
+ 20 Min. Ruhezeit
Backzeit:
25 Min.

Ergibt 18 Stück

1 Tütchen Trockenhefe
⅛ l warmes Wasser
160 ml Milch
50 g Butter oder Margarine
1 EL Zucker
3½–4 Becher Weizenmehl (Type 405)
1 TL Salz
grobes Salz, Sesam- oder Mohnsamen zum Bestreuen

1 Drei Backbleche mit Öl einpinseln. Die Hefe in dem warmen Wasser auflösen. Mit Frischhaltefolie bedeckt 5 Minuten schaumig werden lassen. Milch in einem kleinen Topf mit Butter und Zucker sanft erwärmen, bis die Butter geschmolzen ist.

2 3½ Becher Mehl und Salz in eine große Schüssel geben. Hefe und Milch zugeben und gründlich vermischen. So viel von dem restlichen Mehl zufügen, daß ein weicher Teig entsteht. Auf einer bemehlten Arbeitsfläche 10 Minuten zu einem glatten, elastischen Teig verkneten. In 18 gleich große Stücke zerteilen.

3 Jedes Stück zu einer bleistiftdicken Stange von etwa 30 cm Länge ausrollen. Den Backofen auf 210 °C vorheizen. Die Stangen im Abstand von je 3 cm auf die Bleche legen. Mit Frischhaltefolie bedeckt 20 Minuten gehen lassen.

4 Die Stangen mit kaltem Wasser einpinseln und mit Salz oder Samen bestreuen. Gut 15 Minuten goldbraun backen, herausnehmen und auf einem Kuchengitter abkühlen lassen. Die Temperatur auf 180 °C reduzieren, die Grissini wieder auf die Bleche legen und weitere 5–10 Minuten backen, bis sie trocken und knusprig sind. Sie schmecken hervorragend zu Suppen, Salaten, Dips und als Knabbergebäck.

Hinweis Grissini halten sich in einem luftdichten Behälter 1 Woche und lassen sich ohne weiteres einfrieren.

Milch, Butter und Zucker erwärmen, bis die Butter geschmolzen ist.

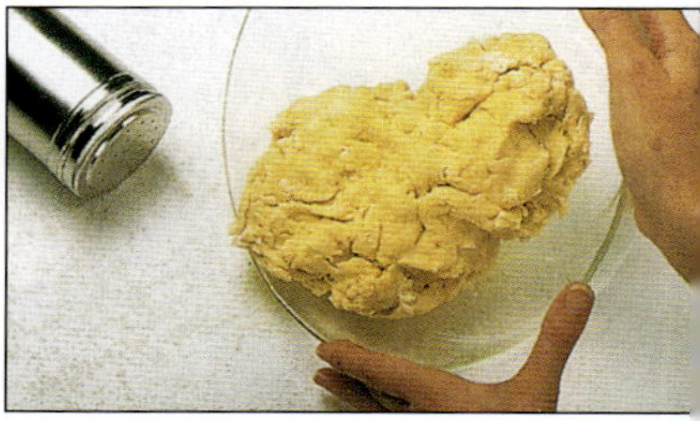

Den Teig auf eine leicht bemehlte Arbeitsfläche gleiten lassen.

Zu bleistiftdicken, etwa 30 cm langen Stangen ausrollen.

Mit grobkörnigem Salz, Sesam oder Mohn bestreuen.

Italienisches Brot

Zubereitungszeit:
30 Min.
+ 2 Std. Ruhezeit
Backzeit:
40 Min.

Ergibt 1 Laib

Maismehl fürs Blech	**1 EL Olivenöl**
1 Tütchen Trockenhefe	**1/4 l warmes Wasser**
60 ml warmes Wasser	
3–3 1/2 Becher Weizenmehl (Type 405)	***Glasur***
1 TL Salz	**1 EL Wasser**
1 EL Honig	**1/2 TL Salz**
	Maismehl als Belag

1 Backblech mit Maismehl bestreuen. Die Hefe im warmen Wasser auflösen. Mit Frischhaltefolie abgedeckt 5 Minuten schaumig werden lassen. 3 Becher Mehl mit Salz in eine Schüssel sieben und in die Mitte eine Mulde drücken. Hefe, Honig, Öl und 1/4 l Wasser hineingießen. Mit einem Holzlöffel zu einem glatten Teig verrühren und zu einer rauhen Kugel formen. Auf einer bemehlten Arbeitsfläche 10 Minuten zu einem glatten Teig verarbeiten. Das restliche Weizenmehl nach Bedarf einkneten.

2 Den Teig in eine gefettete Schüssel legen und Oberfläche mit Öl einpinseln. Abgedeckt an einem warmen Ort 1 Stunde gehen lassen. Nochmals 1 Minute kräftig durchkneten.

3 Den Teig zu einer glatten Kugel (18 cm Ø) formen und auf das vorbereitete Backblech legen. Etwas flachdrücken. Mit einem scharfen Messer gitterförmig 1 cm tief einschneiden. Abgedeckt 1 weitere Stunde gehen lassen.

4 Den Backofen auf 180 °C vorheizen. 1/2 l heißes Wasser in eine flache Backform gießen und auf den Boden des Ofens stellen (so bekommt das Brot eine krosse Kruste). Für die Glasur Wasser mit Salz verrühren, das Brot damit einpinseln und mit Maismehl bestreuen. 35–40 Minuten backen, bis die Unterseite hohl klingt. Auf einem Kuchengitter abkühlen lassen. Mit Ricotta bestreichen und dazu Parmaschinken servieren.

Hinweis Schmeckt am besten frisch, läßt sich aber auch gut aufbacken

Man kann auch Kreise in die Oberfläche ritzen.

Das Backblech gleichmäßig mit Maismehl bestreuen.

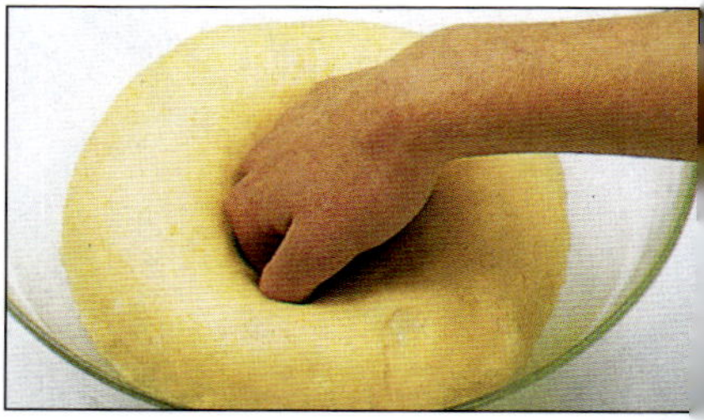

Den aufgegangenen Teig durchwalken un[d] 1 Minute kräftig kneten.

Mit einem scharfen Messer ein Gitter in die Oberfläche ritzen.

Die Oberfläche vor dem Backen mit Maismehl einpudern.

Haferbrot

Zubereitungszeit:
45 Min.
+ 1¾ Std. Ruhezeit
Backzeit:
45 Min.

Ergibt 1 Laib

1 Becher kernige Haferflocken
3/8 l Wasser
2 Tütchen Trockenhefe
1/8 l warmes Wasser, zusätzlich
1/2 TL Zucker
1/8 l warme Milch
1 EL brauner Zucker
1 TL Salz
3½–4½ Becher Weizenmehl (Type 405)
¼ Becher kernige Haferflocken, zusätzlich

1 Eine Kastenform (12 × 28 cm) mit Öl einpinseln und den Boden mit Backpapier auslegen. Haferflocken und Wasser in einem kleinen Topf 3 Minuten erhitzen, bis die Haferflocken das Wasser aufgesogen haben. In einer großen Schüssel etwas abkühlen lassen. Die Hefe in dem zusätzlichen Wasser auflösen und Zucker zugeben. Hefe, Milch, braunen Zucker und Salz zu den Haferflocken geben und gründlich vermischen. Nach und nach 3½ Becher Mehl zufügen und zu einem weichen Teig verarbeiten.

2 10 Minuten kneten, dabei nach Bedarf das restliche Mehl einarbeiten, bis der Teig glatt und elastisch ist. In einer großen Schüssel mit Öl einpinseln. Mit Frischhaltefolie bedeckt 1 Stunde gehen lassen.

3 Den Teig durchwalken und 1 Minute kneten, anschließend halbieren. Eine Hälfte zu einem 28 × 18 cm großen Rechteck flachdrücken und locker aufrollen. Mit der offenen Seite nach unten in die Form legen. Den restlichen Teig dritteln und je zu einem 30 cm langen Strang ausrollen. Flechten und mit Wasser bepinseln.

4 Zusätzliche Haferflocken auf die Arbeitsfläche streuen und den Zopf vorsichtig hineindrücken, in die Form legen und zurechtschieben. 45 Minuten gehen lassen, bis der Teig den oberen Rand erreicht. Den Backofen auf 180 °C vorheizen. Nach 45 Minuten mit einem Holzstäbchen die Garprobe machen. Nach 10 Minuten stürzen und abkühlen lassen.

Hinweis Hält sich bis zu 4 Tagen.

Bei geringer Wärmezufuhr rühren, bis die Haferflocken weich sind.

Teig locker aufrollen und mit der offenen Seite nach unten in die Form legen.

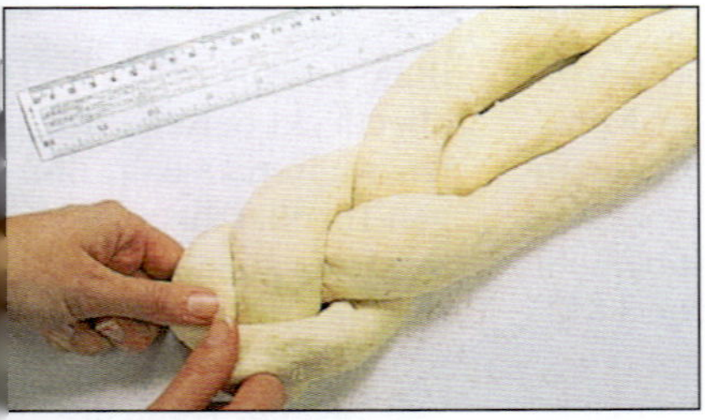

Die andere Hälfte zu drei langen Strängen rollen und flechten.

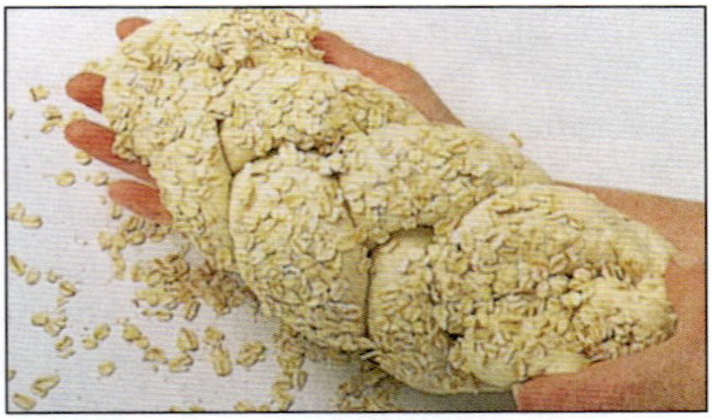

Den Zopf vorsichtig in die ausgerollten Haferflocken drücken.

Chapatis

Zubereitungszeit:
40 Min. + 2 Stunden oder mehr Ruhezeit
Backzeit:
40 Min.

Ergibt 20 Stück

2½ Becher feingemahlenes Vollkornmehl	**¼ l warmes Wasser**
1 TL Salz	**½ Becher feingemahlenes Vollkornmehl, zusätzlich**
1 EL Öl	

1 Mehl und Salz in eine große Schüssel geben, in die Mitte eine Mulde drücken. Öl und Wasser zugeben und mit einem Holzlöffel, dann mit den Händen zu einem festen Teig verarbeiten.
2 Auf einer bemehlten Arbeitsfläche 15 Minuten kneten, dabei kein weiteres Mehl mehr einarbeiten. Zu einer glatten Kugel formen und in einer Schüssel abgedeckt 2 Stunden ruhen lassen, falls erforderlich auch über Nacht.
3 Den Teig in 20 gleich große Stücke teilen und aus jedem eine Kugel formen. Jede Kugel zu einem dünnen Fladen ausrollen. Jedes Chapati einzeln mit Folie abdekken und ruhen lassen, während Sie die übrigen ausrollen.
4 Eine gußeiserne Pfanne stark erhitzen. Jedes Chapati 1 Minute backen, umdrehen und 1 weitere Minute braten, bis es braun ist. Während des Bratens mit einem gefalteten Geschirrtuch auf die Ränder drücken. So entstehen Luftblasen und das Chapati wird lockerer.
5 Die Chapatis in einem sauberen Geschirrtuch aufstapeln, damit sie warm und weich bleiben. Sofort servieren. Paßt zu Currys und vegetarischen Speisen.
Hinweis Feingemahlenes Vollkornmehl gibt's im Bioladen.

Tortillas

Zubereitungszeit:
1 Std.
Backzeit:
20 Min.

Ergibt 16 Stück à 20 cm ø, 20 à 15 cm ø oder 40 à 10 cm ø

1½ Becher Weizenmehl, gesiebt	**1 Becher Maismehl**
	¼ l warmes Wasser

1 Beide Mehle in einer großen Schüssel mischen. In die Mitte eine Mulde drücken und das warme Wasser zugießen. Mit einem Messer zu einem festen Teig vermischen. Auf einer leicht bemehlten Arbeitsfläche 3 Minuten kneten.
2 Den Teig in entsprechende Portionen teilen und jede einzeln papierdünn ausrollen. Mit Folie abgedeckt beiseite stellen, während Sie die übrigen Tortillas ausrollen.
3 Eine gußeiserne Pfanne erhitzen und jeweils eine Tortilla ohne Fett backen. Wenn die Ränder sich hochbiegen, wenden und weiterbak-

Chapatis (oben) und Tortillas

ken, von jeder Seite maximal ein paar Sekunden lang. Sollte das überschüssige Mehl anbrennen, die Pfanne mit Küchenpapier auswischen.

Hinweis Frische Tortillas werden weich, wenn man sie etwas stehen läßt. In Stücke zerteilt, serviert man sie zu Dips, oder man rollt sie mit einer Füllung zu »Burritos« .

Tortillas halten sich luftdicht verpackt 1 Woche. Kurz im Backofen oder in die Mikrowelle aufbacken. Altbackene Tortillas kann man in Stücke schneiden oder reißen und in heißem Öl oder ausgelassenem Speck knusprig backen.

Kürbisbrot

Zubereitungszeit:
35 Min.
+ 2 Std. Ruhezeit
Backzeit:
40 Min.

Ergibt 1 runden Laib

1 Tütchen Trockenhefe
60 ml Becher warme Kürbis-Kochflüssigkeit oder Wasser
4–4 1/2 Becher Weizenmehl (Type 405 oder 550)
1 TL Salz
1 Becher zerstampfter Kürbis (roh 300 g)
60–120 ml warme Kürbis-Kochflüssigkeit oder Wasser, zusätzlich
1 Ei, verquirlt
2 TL Wasser, zusätzlich
Kürbiskerne zum Bestreuen

1 Eine Springform (20 cm Ø) mit Öl einpinseln und den Boden mit Backpapier auslegen. Die Hefe in Kürbis-Kochflüssigkeit oder Wasser auflösen. Mit Folie abgedeckt 5 Minuten schaumig werden lassen. 4 Becher Mehl mit Salz in eine große Schüssel geben. Kürbis, Hefe und 60 ml der zusätzlichen Flüssigkeit zugeben. Zunächst mit einem Holzlöffel, dann mit den Händen gründlich mischen, bis der Teig eine rauhe, klebrige Kugel bildet. Je nach Feuchtigkeitsgehalt der Kürbismasse kann er zu trocken sein, dann mehr Flüssigkeit zugeben.

2 Auf einer bemehlten Arbeitsfläche 10 Minuten zu einem glatten, elastischen Teig verkneten. Den restlichen 1/2 Becher Mehl nach Bedarf einarbeiten. Den Teig in einer Schüssel mit Öl einpinseln und mit Frischhaltefolie abgedeckt an einem warmen Ort 1 Stunde gehen lassen.

3 Den Teig durchwalken und 1 Minute energisch weiterkneten. Ein golfballgroßes Stück abtrennen, den Rest zu einer großen Kugel formen und in die vorbereitete Backform legen. Die kleine Kugel zu einem 35 cm langen Strang rollen und locker verknoten, quer über die Teigkugel legen und mit etwas Wasser festkleben. Mit Frischhaltefolie bedeckt an einem warmen Ort 1 Stunde gehen lassen, bis der Teig den oberen Rand erreicht.

4 Den Backofen auf 210 °C vorheizen. Ei mit Wasser verquirlen und den Teig damit einpinseln. Mit Kürbiskernen bestreuen. 20 Minuten backen, dann die Temperatur auf 180 °C reduzieren und nochmals rund 20 Minuten backen. In den letzten 10 Minuten die Oberfläche mit Alufolie abdecken, falls sie zu braun werden sollte. Aus dem Ofen nehmen und auf einem Kuchengitter abkühlen lassen. Nur mit etwas Butter bestrichen schmeckt Kürbisbrot einfach köstlich.

Hinweis Kürbisbrot hält sich luftdicht verpackt bis zu 3 Tagen und läßt sich auch gut einfrieren.

Einen Knoten formen und auf die Oberfläche legen, mit Wasser »ankleben«.

Mit Ei und Wasser bestreichen und mit Kürbiskernen bestreuen.

Früchtebrot und süße Brötchen

Dörrobst ist ein klassischer Zusatz für Brot und Brötchen und macht sie zu einer gesunden, nahrhaften und vor allem leckeren Süßspeise.

Früchte-Nuß-Brot

2 1/4 Becher Mehl in eine große Schüssel sieben. Ein Tütchen Trockenhefe, 1 TL Mischgewürz (Zimt, Nelken, Muskat, Koriander, etc.), 2 EL Zucker, 2 TL abgeriebene Orangenschale, 1/3 Becher Sultaninen, 1/4 Becher Korinthen, 1 EL Zitronat-Orangeat-Mischung und 1/4 Becher gehackte Pekannüsse zugeben und alles gut vermengen. In die Mitte der Mehlmischung eine Mulde drücken. 80 ml frischen Orangensaft, 1 Ei, 30 g zerlassene Butter und 80 ml warmes Wasser verrührt zum Mehl geben. Mit einem Holzlöffel zu einem weichen Teig verarbeiten. Mit den Händen 10 Minuten kneten, bis der Teig glatt und elastisch ist. Mit dem Finger auf die Oberfläche drücken: Wenn sie wieder zurückspringt, ist der Teig gut. In einer großen Schüssel mit Öl einpinseln. Abgedeckt rund 45 Minuten ruhen lassen. Teig durchwalken und 1 Minute kneten. Zu einer glatten, ovalen Kugel formen und entweder in eine gefettete Kastenform (20 cm lang) oder ohne Form auf ein gefettetes Backblech legen und zu einem runden Laib von 23 cm Ø ausstreichen.

Die Oberfläche mit Öl einpinseln. Abgedeckt an einem warmen Ort weitere 30 Minuten gehen lassen. Im vorgeheizten Backofen 20–30 Minuten bei 180 °C backen. Auf ein Kuchengitter stürzen. 1 EL Milch mit 1 EL Zucker verquirlen und das noch heiße Brot damit einpinseln.

Schmeckt sowohl warm als auch kalt.

Früchte-Nuß-Brot in runder und eckiger Variante, ringsum liegen Rosinenschnecken

Rosinenschnecken

3 Becher Mehl sieben, 1/3 Becher Milchpulver, 1/2 TL Salz und 1 TL Mischgewürz (Zimt, Nelken, Muskat, Koriander, etc.) in eine Schüssel sieben. 2 Tütchen Trokkenhefe einrühren und je 1/2 Becher Zucker, Korinthen und Rosinen zugeben. In die Mitte des Mehls eine Mulde drücken. 50 g zerlassene Butter, 1/4 l warmes Wasser und ein verquirltes Ei verrühren und auf einmal zum Mehl geben. 2–3 Minuten kneten, bis alles gut vermischt ist.

Auf einer bemehlten Arbeitsfläche 10 Minuten zu einem glatten, elastischen Teig verkneten. In eine große gefettete Schüssel legen und die Oberfläche mit Öl bepinseln. 1 Stunde an einem warmen Ort gehen lassen.

Den Teig 1 Minute kräftig kneten. Zu einem 30 × 45 cm großen Rechteck ausrollen, mit 30 g zerlassener Butter einpinseln und mit 1/2 Becher braunem Zukker plus 1 TL Zimt bestreuen. Von der Längsseite her aufrollen und die Rolle in 16 gleichmäßig dicke Scheiben schneiden.

Die Schnecken mit 5 cm Abstand auf ein gut gefettetes Backblech legen und etwas flachdrükken. Mit leicht gefetteter Frischhaltefolie abdekken und 35–40 Minuten gehen lassen. Im vorgeheizten Backofen 5 Minuten bei 210 °C backen, die Temperatur auf 180 °C reduzieren und weitere 10 Minuten backen. Auf ein Kuchengitter legen. Mit 1/3 Becher warmem Honig mehrmals bestreichen. Die noch warmen Schnecken mit Zuckerguß überziehen.

Zuckerguß: 2 Becher Puderzucker mit 30 g Butter und etwa 1–2 EL Wasser in einer kleinen Schüssel glattrühren und eventuell mit Lebensmittelfarbe färben.

Brioche

Zubereitungszeit:
1 Std.
+ $2\frac{3}{4}$ Std. Ruhezeit
Backzeit:
1 Std.

Ergibt 6 kleine und 1 mittelgroße Brioche

- **1 Tütchen Trockenhefe**
- **$\frac{1}{8}$ l warme Milch**
- **1 TL Zucker**
- **4 Becher Weizenmehl (Type 405)**
- **1 TL Salz**
- **2 EL Zucker, zusätzlich**
- **4 Eier, Zimmertemperatur, verquirlt**
- **175 g weiche Butter**
- **$\frac{1}{4}$ Becher Weizenmehl, zusätzlich, zum Kneten**
- **1 Eidotter, zum Glasieren**
- **1 EL Sahne**

1 6 kleine Briocheförmchen und eine Kastenform (10 × 20 cm) mit Öl einpinseln. Die Hefe in warmer Milch auflösen, den Zucker einrühren. Mit Frischhaltefolie bedeckt 5 Minuten schaumig werden lassen. Mehl mit Salz und den übrigen Zucker in einer großen Schüssel mischen, in die Mitte eine Mulde drücken. Die verquirlten Eier und die Hefemischung angießen. Mit einem Holzlöffel die Masse verrühren, bis sich eine rauhe Kugel bildet.

2 Auf einer bemehlten Arbeitsfläche 5 Minuten kneten, bis der Teig glatt und fest ist. Die weiche Butter in kleinen Mengen mit Hilfe eines Spatels einarbeiten. Das dauert rund 10 Minuten, nach dieser Zeit ist der Teig sehr klebrig.

3 Arbeitsfläche und Hände säubern und mit etwas Mehl bestäuben. Den Teig locker 10 Minuten durchkneten, bis er glatt und elastisch ist. In eine große, eingefettete Schüssel legen. Den Teig mit Öl einpinseln und mit Frischhaltefolie bedeckt $1\frac{1}{2}$–2 Stunden gehen lassen. Den Teig durchwalken und halbieren. Die eine Hälfte in Frischhaltefolie wikkeln und beiseite stellen, die andere in 6 gleich große Stücke teilen und von jedem nochmals ein Viertel abnehmen. Die größeren Stücke zu Kugeln formen und in die vorbereiteten Förmchen legen. Mit einer Glasur aus Eidotter und Sahne einpinseln. Die kleinen Stücke ebenfalls zu Kugeln rollen und auf die größeren setzen. Mit einem bemehlten Holzstäbchen durch beide Kugeln von oben bis unten durchstechen und das Stäbchen wieder herausziehen; so werden die beiden Kugeln fest miteinander verbunden. Nochmals mit Glasur einpinseln und mit Frischhaltefolie abgedeckt 45 Minuten gehen lassen. Den Backofen auf 210 °C vorheizen und die Brioches 10 Minuten backen. Auf 180 °C reduzieren und weitere 10 Minuten backen, bis die Brioches goldgelb und gar sind. Sofort auf ein Kuchengitter stürzen und abkühlen lassen.

4 In der Zwischenzeit die andere Teighälfte in die Form legen und mit Glasur einpinseln. Abgedeckt an einem warmen Ort 1 Stunde gehen lassen. Bei 210 °C etwa 15 Minuten backen, dann die Temperatur auf 180 °C reduzieren und weitere 15 Minuten backen, bis der Teig goldgelb ist. Sofort auf ein Kuchengitter stürzen und abkühlen lassen.

Hinweis Wenn Sie keine Förmchen haben, können Sie auch 2 Brotlaibe oder eine große Brioche daraus backen.

Die Butter portionsweise in den Teig einarbeiten.

Ein dickes Holzstäbchen durch die beiden Kugeln bis zum Boden stechen.

Christstollen

Zubereitungszeit:
45 Min.
+ 2 Std. Ruhezeit
+ 2 Std. Einwirkzeit
Backzeit:
35–40 Min.

Ergibt 1 ovalen Stollen

- **1/2 Becher Rosinen**
- **1/4 Becher Korinthen**
- **2 EL Zitronat-Orangeat-Mischung, gehackt**
- **1/4 Becher kandierte Kirschen, halbiert**
- **2 EL Rum**
- **1 Tütchen Trockenhefe**
- **80 ml warmes Wasser**
- **60 g Butter**
- **1/8 l Milch**
- **1/4 Becher Zucker**
- **1 TL abgeriebene Orangenschale**
- **3–3 1/2 Becher Weizenmehl (Type 405)**
- **1/2 TL Salz**
- **1 Ei, verquirlt**
- **1/4 Becher Mandelstifte**
- **20 g zerlassene Butter**
- **Puderzucker**

1 Ein Backblech mit Öl einpinseln. Rosinen, Korinthen, Zitronat und Kirschen in einer Schüssel mischen und den Rum unterziehen. Abgedeckt 2 Stunden durchziehen lassen, bis die Früchte den Rum ganz aufgesogen haben.

2 Hefe im warmen Wasser auflösen, mit Folie bedeckt 5 Minuten schaumig werden lassen. Butter, Milch, Zucker und Orangenschale in einem kleinen Topf erwärmen, bis die Butter geschmolzen ist. 3 Becher Mehl mit Salz in eine große Schüssel sieben, in die Mitte eine Mulde drücken. Hefe, Milch und Ei angießen. Von dem restlichen Mehl so viel zugeben, daß ein weicher Teig entsteht.

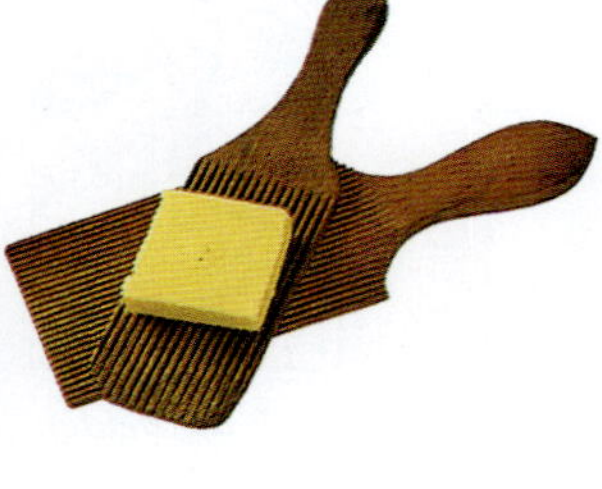

3 Den Teig 10 Minuten kneten. In eine Schüssel legen, die Oberfläche mit Öl einpinseln und abgedeckt an einem warmen Ort 1 Stunde gehen lassen. Danach durchwalken und 1 Minute weiterkneten. Zu einem Quadrat von 25 × 25 cm flachdrücken, die Früchte und Mandeln darauflegen. Den Teig über die Früchte klappen und locker kneten, bis sie gleichmäßig im Teig verteilt sind.

4 Den Teig zu einem Oval von 30 × 20 cm ausrollen. Auf ein Backblech legen und die Oberfläche leicht mit zerlassener Butter einpinseln. Eine Backrolle längs in die Mitte des Ovals drücken und den Teig an diese Kerbe zusammenklappen. Dabei 2 cm vom unteren Rand überstehen lassen. Die Oberfläche mit zerlassener Butter bestreichen und abgedeckt an einem warmen Ort gut 1 Stunde gehen lassen. Den Backofen auf 180 °C vorheizen. Etwa 30 Minuten backen, bis der Stollen goldgelb ist. Auf einem Kuchengitter abkühlen lassen und dic mit Puderzucker bestreuen. In Scheiben geschnitten servieren.

Hinweis Die Form de Christstollens symbolisiert das Jesukind in Windeln. Nach deutsche Tradition backt man immer zwei Stollen, einen zum Verschenken und einen zum Selbstessen.

Hält sich luftdicht verpackt bis zu 1 Woche

ie Früchte locker in den Teig kneten, bis ie gleichmäßig verteilt sind.

Eine Backrolle längs in die Mitte des Teigs drücken.

Liebesknochen

Zubereitungszeit:
45 Min.
+ 1 1/2 Std. Ruhezeit
Backzeit:
12–15 Min.

Ergibt 12 Stück

4 Becher Weizenmehl (Type 405)
1/3 Becher Sahnepulver, ersatzweise Trockenmilchpulver
2 Tütchen Trockenhefe
1/2 Teelöffel Salz
1/2 Becher Zucker
1/2 Becher Rosinen
60 g zerlassene Butter
1/4 l warmes Wasser
1 Ei, verquirlt
1 Eidotter, zusätzlich
1 EL Wasser, zusätzlich

Zuckerguß
1 1/4 Becher Puderzucker
20 g zerlassene Butter
2–3 TL Wasser
rosa oder andere pastellene Lebensmittelfarbe

1 Zwei Backbleche mit Öl einfetten. 3 Becher Mehl, Sahnepulver, Hefe, Salz, Zucker und Rosinen in einer Schüssel vermengen, in die Mitte eine Mulde drükken. Butter, Wasser und Ei verrühren und auf einmal zum Mehl geben. 2–3 Minuten rühren. So viel Mehl zugeben, daß ein weicher Teig entsteht.
2 Den Teig 10 Minuten kneten, bis er glatt und elastisch ist. Den Teig in eine große Schüssel legen und die Oberfläche mit Öl einpinseln. Mit Folie abgedeckt 1 Stunde gehen lassen.
3 Den Teig durchwalken und 1 weitere Minute kneten. Dann in 12 gleich große Stücke teilen. Jedes Stück zu einem 15 cm langen Schiffchen formen. Im Abstand von je 5 cm auf die Bleche legen und mit Frischhaltefolie abgedeckt an einem warmen Ort rund 20–25 Minuten gehen lassen.
4 Den Backofen auf 180 °C vorheizen. Das Eidotter mit dem zusätzlichen Wasser verquirlen und die Liebesknochen damit einpinseln. Etwa 12–15 Minuten backen, herausnehmen und auf einem Kuchengitter abkühlen lassen.
5 Für den Zuckerguß: Puderzucker, Butter und Wasser in einer Schüssel glattrühren. Farbe zugeben und gründlich vermischen. Mit einem Messer auf die Liebesknochen streichen.
Hinweis Liebesknochen mit Guß halten sich luftdicht verpackt 2 Tage. Sie lassen sich ohne Guß 1 Monat einfrieren.

Mehl, Sahnepulver, Hefe, Salz, Zucker und Rosinen in eine Schüssel geben.

In 12 gleich große Stücke teilen und jewei zu länglichen Schiffchen formen.

[M]it der Glasur aus Eidotter und Wasser [b]epinseln.

Mit einem Palettenmesser den Guß auf die Liebesknochen streichen.

Schwedischer Teekranz

Zubereitungszeit:
1 Std.
+ 1³/4 Std. Ruhezeit
Backzeit:
20–25 Min.

Ergibt 1 Kranzkuchen

1 Tütchen Trockenhefe
2 EL warmes Wasser
160 ml Milch
60 g Butter, Zimmertemperatur
2 EL Zucker
1/2 TL Salz
2 1/2–3 Becher Weizenmehl (Type 405)
1 Ei, verquirlt
1 Eidotter, zusätzlich
1 EL kaltes Wasser

Füllung
30 g Butter
1 EL Zucker
1/2 Becher abgezogene Mandeln, gemahlen
100 g Trockenfrüchte
1/2 Becher kandierte Kirschen, halbiert

Zuckerguß
1 Becher Puderzucker
1–2 EL Milch
2 Tr. Mandelaroma

1 Ein Backblech mit Öl einpinseln. Die Hefe im warmen Wasser auflösen und mit Frischhaltefolie abgedeckt 5 Minuten schaumig werden lassen. Die Milch mit Butter, Zucker und Salz in einem Topf kurz erwärmen. 2 Becher von der Mehlmenge in eine große Schüssel sieben. Hefe, Milch und das verquirlte Ei zugeben. Gründlich zu einem glatten Teig verrühren. Von dem restlichen Mehl so viel zugeben, daß ein glatter Teig entsteht. Auf einer bemehlten Arbeitsfläche 10 Minuten kneten. Den Teig in eine große Schüssel legen und die Oberfläche mit Öl einpinseln. Mit Frischhaltefolie bedeckt gut 1 Stunde gehen lassen.

2 Für die Füllung: Butter und Zucker verrühren, dann nacheinander Mandeln, Trockenfrüchte und Kirschen unterziehen.

3 Den Teig durchwalken und 1 Minute kneten. Zu einem 25 × 45 cm großen Rechteck ausrollen. Die Füllung auf die Teigplatte legen, dabei einen Rand von 2 cm freilassen. Aufrollen und mit der offenen Seite nach unten zu einem Kranz zusammenbiegen. Eidotter und Wasser verquirlen. Die Enden damit bestreichen und fest andrücken. Auf das vorbereitete Blech legen.

4 Mit der Schere die Außenseite alle 4 cm einschneiden. Die Einschnitte kippen und etwas flachdrücken. Mit Frischhaltefolie abgedeckt an einem warmen Ort 45 Minuten gehen lassen. Mit dem restlichen Eidotter den Kranz bestreichen. Den Backofen auf 180 °C vorheizen und den Kranz gut 20 Minuten backen. Falls er zu braun werden sollte, mit Alufolie abdecken.

Er schmeckt prima zum Frühstück oder zum Nachmittagskaffee.

5 Für den Zuckerguß: Alle Zutaten glattrühren, über den Kranz gießen und etwas verstreichen.

Hinweis Hält sich luftdicht verpackt bis zu 3 Tagen und läßt sich ohne Guß bis zu 1 Monat einfrieren.

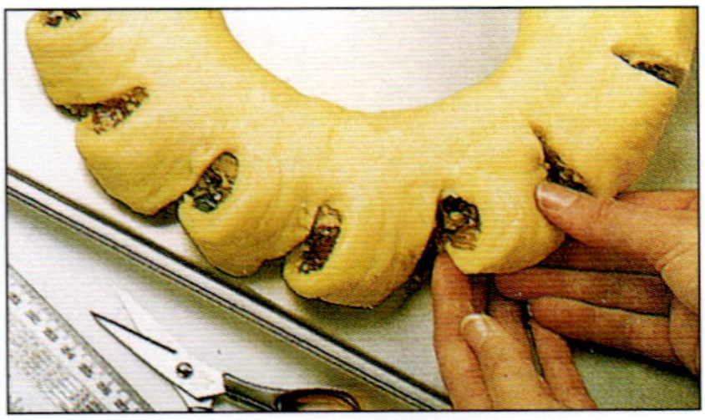

-en Teig mit der Füllung belegen, dabei an
-en Rändern 2 cm freilassen. Aufrollen.

Die Streifen auf die Seite legen und etwas flachdrücken.

Teekuchen

Zubereitungszeit:
35 Min.
+ $2^1/_2$ Std. Ruhezeit
Backzeit:
45 Min.

Ergibt 1 Kuchen

1 Tütchen Trockenhefe
60 ml warmes Wasser
1 TL Zucker
3 Eier, Zimmertemperatur
180 ml warme Milch
$^1/_3$ Becher Honig
125 g zerlassene Butter
$^1/_2$ TL Salz
4 Becher Weizenmehl (Type 405)

Glasur
1 EL Zucker, zusätzlich
1 EL Milch, zusätzlich

1 Eine Springform (26 cm Ø) mit Öl einpinseln und den Boden mit Backpapier auslegen. Die Hefe im warmen Wasser auflösen und Zucker zugeben. Mit Frischhaltefolie abgedeckt 5 Minuten schaumig werden lassen. Eier, Milch, Honig, Butter, Salz, 2 Becher Mehl und Hefeansatz in einer großen Schüssel mit dem Handmixer 5 Minuten lang rühren. So viel Mehl unterziehen, daß der Teig dickflüssig wird.

2 Abgedeckt 1–$1^1/_2$ Stunden gehen lassen, dann nochmals rühren.

3 Mit einer Suppenkelle den Teig in die vorbereitete Form füllen. Die Oberfläche mit eingefetteten Händen flachdrücken. Zugedeckt nochmals 1 Stunde gehen lassen, bis der Teig den Rand der Form erreicht.

4 Den Backofen auf 180 °C vorheizen. Den Kuchen 35–40 Minuten backen und mit einem Holzstäbchen die Garprobe durchführen. Zucker und Milch verquirlen und die Oberfläche damit einpinseln, dann den Kuchen für weitere 5 Minuten in den Ofen stellen. Auf ein Kuchengitter stürzen und 20 Minuten abkühlen lassen. In Scheiben schneiden und servieren.

Hinweis Für die traditionelle englische Variante »Sally Lunn« lassen Sie den Kuchen abkühlen, dann zweimal quer durchschneiden. Jede Schicht rösten, mit Butter bestreichen und wieder zusammensetzen. Dieses Mittelding zwischen Brot und Kuchen wird in England oft zum Tee serviert. Es hält sich luftdicht verpackt bis zu 5 Tagen und läßt sich bis zu 1 Monat einfrieren.

So viel von dem restlichen Mehl einrühren, daß der Teig dickflüssig wird.

Den Teig an einem warmen Ort gehen lassen.

ﾠ

lit einer Suppenkelle den Teig in die orbereitete Form füllen.

Milch und Zucker verrühren und den Kuchen nach dem Backen damit bepinseln.

Sesamzopf

Zubereitungszeit:
50 Min.
+ 1 3/4 Std. Ruhezeit
Backzeit:
40 Min.

Ergibt 2 mittelgroße Zopfbrote

2 Tütchen Trockenhefe
1/8 l warmes Wasser
6 Becher Weizenmehl (Type 405)
1 TL Salz
1 EL Zucker
60 g zerlassene Butter
2 Eier, verquirlt
1/4 l warmes Wasser, zusätzlich

Glasur
1 Eidotter
2 TL Wasser
Sesamsamen

1 Ein Backblech mit zerlassener Butter oder Öl einpinseln. Die Hefe im warmen Wasser auflösen. 4 Becher Mehl mit Salz und Zucker in eine große Schüssel sieben, in die Mitte eine Vertiefung drücken und Butter, verquirlte Eier und den Hefeansatz hineingeben. Mit etwas Mehl bestreuen und mit Frischhaltefolie abgedeckt an einem warmen Ort 10 Minuten schaumig werden lassen. Noch etwas Wasser unterrühren. Auf einer bemehlten Arbeitsfläche 10 Minuten zu einem glatten, elastischen Teig verkneten. Den Teig in eine gefettete Schüssel legen und die Oberfläche mit zerlassener Butter oder Öl einpinseln. Abgedeckt 1 Stunde gehen lassen, dann den Teig wieder 1 Minute energisch durchkneten und halbieren. Eine Hälfte zurück in die Schüssel legen und mit Frischhaltefolie bedeckt nochmals gehen lassen, während Sie den ersten Zopf flechten.

2 Die zweite Hälfte in drei gleich große Stücke teilen, jedes zu einem etwa 3 cm dicken, 30 cm langen Strang formen. Die Stränge nebeneinander auf das Blech legen und flechten. Die Enden zusammendrücken und unter den Zopf schieben. Zugedeckt an einem warmen Ort 45 Minuten gehen lassen. Die verbliebene Hälfte kräftig kneten und ebenso formen. Gehen lassen, während der erste Zopf backt.

3 Den Backofen auf 180 °C vorheizen. Eidotter mit Wasser verquirlen und den ersten Zopf damit bepinseln, dann mit Sesamsamen bestreuen. 35–40 Minuten backen, bis der Zopf goldgelb ist und bei der Klopfprobe hohl klingt. Auf einem Kuchengitter abkühlen lassen. Den zweiten Zopf backen un abkühlen lassen.

Hinweis Nach dem ursprünglich jiddischen Rezept backte man am Vorabend des Sabbat traditionell 2 Laibe, ma kann aber nach Beliebe auch einen großen Zop daraus formen.

Hält sich luftdicht ve packt bis zu 4 Tagen un läßt sich bis zu 1 Monat gut einfrieren.

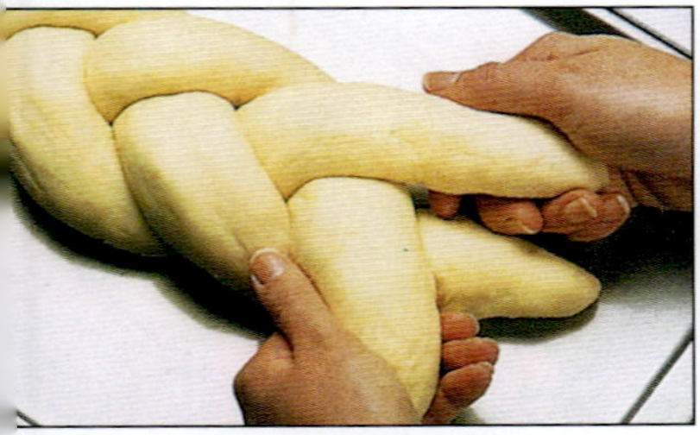

ie Teigstränge nebeneinander auf das ech legen und flechten.

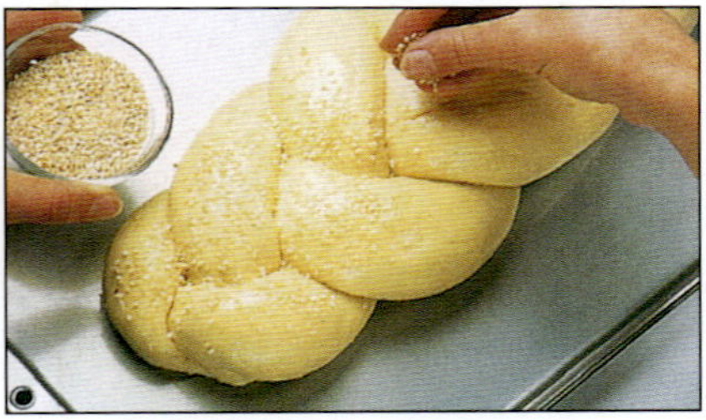

Mit Eidotter-Wasser-Mischung einpinseln und mit Sesam bestreuen.

Sahneteilchen

Zubereitungszeit:
30 Min.
+ 1¼ Std. Ruhezeit
Backzeit:
20 Min.

Ergibt 12 Stück

3½ Becher Weizenmehl (Type 405), gesiebt
2 EL Zucker
½ TL Salz
⅓ l warme Milch
60 g zerlassene Butter
1 Tütchen Trockenhefe

Füllung
300 ml Sahne
1 EL Puderzucker
½ Becher Himbeer- oder Erdbeerkonfitüre

2 EL Puderzucker

1 Zwei Backbleche mit Öl einpinseln und leicht mit Mehl bestäuben, überschüssiges Mehl abschütteln. Mehl, Zucker und Salz je zur Hälfte in die Küchenmaschine geben. Milch und Butter in einer kleinen Schüssel verrühren, die Hefe einstreuen und unterrühren. Die Hälfte der Hefemischung auf die Zutaten im Mixer gießen und ½ Minute rühren, bis ein glatter, weicher Teig entsteht. In eine gefettete Schüssel geben. Die zweite Hälfte der Zutaten ebenso verarbeiten und zum übrigen Teig in die Schüssel geben. Mit Frischhaltefolie abgedeckt 1 Stunde gehen lassen.

2 Auf einer bemehlten Arbeitsfläche den Teig kurz durchwalken. 2 Minuten weiterkneten. In 12 gleich große Stücke teilen, jedes davon ½ Minute auf der bemehlten Fläche kneten und zu einer Kugel formen.

3 Den Backofen auf 210 °C vorheizen. Die Teigkugeln in gleichen Abständen auf die vorbereiteten Bleche legen. Mit Frischhaltefolie abgedeckt 15 Minuten gehen lassen. 20 Minuten backen, bis die Kugeln braun und gut durch sind. 5 Minuten beiseite stellen, dann auf einem Kuchengitter abkühlen lassen. Mit einem Brotmesser jede Kugel diagonal 5 cm tief einschneiden.

4 Sahne mit Puderzuk-ker in einer kleinen Schüssel mit dem Hand-mixer steif schlagen. Di- Sahne mit dem Spritzbeutel in die zuvor mit Marmelade bestrichene- Hefeteilchen füllen.

Hinweis Wenn Ihre Küchenmaschine groß genug ist, können Sie d- Mehl-Hefe-Mischung natürlich in einem Arbeitsgang verarbeiten.

Das gefettete Backblech mit Mehl bestreuen und den Überschuß abschütteln.

In der Küchenmaschine zu einem weich- glatten Teig verarbeiten.

ie Kugeln mit gleichmäßigen Zwischen-umen auf das vorbereitete Blech legen.

Mit einem Brotmesser jede Kugel diagonal einschneiden.

Griechisches Osterbrot

Zubereitungszeit:
2 1/4 Std.
+ 1 3/4 Std. Ruhezeit
Backzeit:
40 Min.

Ergibt 1 Zopfbrot

1 Tütchen Trockenhefe
2 EL warmes Wasser
1/8 l Milch
60 g Butter, Zimmertemperatur
1/2 TL Salz
1/4 Becher Zucker
1 TL abgeriebene Schale einer unbehandelten Orange
2 1/2–3 Becher Weizenmehl (Type 405)
1 TL gemahlener Anis
1 Ei, verquirlt

Überzug
1 Ei, verquirlt
1 EL Milch
je 1 EL Sesamsamen, Mandelstifte und Zucker

1 Ein Backblech mit Öl einpinseln. Die Hefe im warmen Wasser auflösen und 5 Minuten beiseite stellen, bis sie schaumig ist. Milch, Butter, Salz, Zucker und Orangenschale in einem kleinen Topf sanft erwärmen, bis die Butter geschmolzen ist. 2 1/2 Becher Mehl mit Anis in eine große Schüssel geben. In die Mitte eine Mulde drücken und Hefe, Milch und Ei hineingeben. In das Mehl einarbeiten, dann 1 Minute kneten.
2 Auf einer bemehlten Arbeitsfläche 10 Minuten durchwalken und dabei so viel von dem restlichen Mehl zufügen, bis der Teig glatt und elastisch ist. In eine gefettete Schüssel legen und die Oberfläche mit Öl einpinseln. Abgedeckt 1 Stunde gehen lassen.

3 Den Teig durchwalken und 1 Minute kneten. In 3 gleich große Stücke teilen und jedes davon zu einem 35 cm langen Strang rollen. Flechten und die Enden unter den Zopf drücken. Auf dem Backblech mit der Eiermilch einpinseln und mit Sesamsamen, Mandeln und Zucker bestreuen (wenn Sie gefärbte Eier verwenden, drücken Sie sie jetzt in den Teig, s. Hinweis). Mit Frischhaltefolie abgedeckt 45 Minuten gehen lassen.
4 Backofen auf 180 °C vorheizen. Den Zopf 30–40 Minuten backen. Wenn man auf die Unterseite klopft, soll er hohl klingen. Warm servieren.

Hinweis Das Rezept für dieses Zopfbrot mit dem ausgeprägten Anisgeschmack stammt aus Griechenland, wo zu Ostern rot gefärbte Eier mit eingebacken werden. Auch ohne Eier sieht der Zopf sehr appetitlich aus.

Wenn Sie den Zopf zu Ostern mit gefärbten Eiern verzieren wollen, kochen Sie 2 Hühner- oder 4 Wachteleier hart und färben sie mit Lebensmittelfarbe rot. Nach dem Flechten, bevor der Teig zum letzten Mal geht, in den Teig drücken.

In griechischen Lebensmittelgeschäften bekommt man eine spezielle rote Lebensmittelfarbe zum Eierfärben, inkl. Gebrauchsanweisung.

en Zopf mit Sesam, Mandeln und
ucker bestreuen.

Die Eier drücken Sie in den Zopf, bevor der Teig zum letzten Mal geht.

Rosenkuchen

Zubereitungszeit:
25 Min.
+ 1 1/2 Std. Ruhezeit
Backzeit:
25 Min.

Ergibt 24 Schnecken

1 Tütchen Trockenhefe
1 TL Zucker
1 EL Mehl
1/8 l warme Milch
2 1/2 Becher Mehl, gesiebt, zusätzlich
125 g Butter, gewürfelt
1 EL Zucker, zusätzlich
1/2 TL Mischgewürz (Zimt, Nelken, Muskat, Koriander, etc.)
1 Ei, verquirlt
2 TL abgeriebene Zitronenschale
60 g Butter, zusätzlich
1/4 Becher brauner Zucker
1 Becher gemischtes Dörrobst
1/2 TL Mischgewürz

Glasur
1 EL Milch
2 EL Zucker

Zuckerguß
1/2 Becher Puderzucker
1–2 EL Milch

1 Ein Backblech mit zerlassener Butter oder Öl einpinseln. Die Hefe in einer kleinen Schüssel mit Zucker und Mehl mischen. Nach und nach die Milch angießen und glattrühren. Mit Frischhaltefolie abgedeckt an einem warmen Ort 5 Minuten schaumig werden lassen. Das zusätzliche Mehl, Butter, Zucker und Gewürz in der Küchenmaschine 1/2 Minute schlagen, bis die Masse krümelig ist. Ei, Zitronenschale und Hefemischung zugeben und weitere 15 Sekunden rühren.

2 Teig auf einer bemehlten Arbeitsfläche 2 Minuten kneten und zu einer Kugel formen. In eine große Schüssel legen und mit Frischhaltefolie abgedeckt an einem warmen Ort 1 Stunde gehen lassen. Den Teig durchwalken und nochmals 2 Minuten energisch kneten.

3 Den Backofen auf 210 °C vorheizen. Mit dem elektrischen Handmixer die zusätzliche Butter mit dem braunen Zucker in einer kleinen Schüssel schaumig schlagen. Den Teig zu einem 40 × 25 cm großen Rechteck ausrollen und mit der Butter-Zucker-Mischung bestreichen; dabei einen Rand von 2 cm freilassen. Die Fruchtmischung darauf verteilen und das restliche Gewürz daraufstreuen. Den Teig von der Längsseite fest aufrollen, so daß Butter und Früchte innen liegen. Mit einem scharfen Messer die Rolle in acht je 5 cm dicke Scheiben schneiden. Die Schnecken in gleichmäßigem Abstand dicht nebeneinander mit den offenen Seiten nach innen auf das vorbereitete Backblech legen. Die Schnecken etwas flachdrücken. Mit Frischhaltefolie bedeckt 30 Minuten gehen lassen.

4 Den Rosenkuchen im vorgeheizten Ofen 20 Minuten backen, bis er gut gebräunt und gar ist. Aus dem Ofen nehmen und großzügig mit der Glasur bestreichen. Auf einem Kuchengitter abkühlen lassen.

Für die Glasur: Milch und Zucker verquirlen und bei geringer Wärmezufuhr den Zucker auflösen (nicht kochen!). Vom Herd nehmen.

Für den Zuckerguß: Puderzucker mit Milch glattrühren. Über die glasierten, abgekühlten Schnecken träufeln.

ie Teigplatte mit der Butter-Zucker-ischung bestreichen. 2 cm Rand lassen.

Die Schnecken dicht nebeneinander legen, die Enden zeigen zur Mitte.

Monkey Bread

Zubereitungszeit:
30 Min.
+ 2 Std. Ruhezeit
Backzeit:
45 Min.

Ergibt 1 Napfkuchen

2 Tütchen Trockenhefe
1/8 l warmes Wasser
1/4 l Milch
60 g Butter
1/2 Becher Zucker
4–5 Becher Weizenmehl (Type 405)
1/2 TL Salz
1 Ei, Zimmertemperatur, verquirlt
125 g zerlassene Butter
1/2 Becher brauner Zucker
1/2 Becher Korinthen

1 Eine große Napfkuchen- oder Springform mit zerlassener Butter oder Öl einpinseln. Die Hefe im warmen Wasser auflösen und mit Frischhaltefolie abgedeckt an einem warmen Ort 5 Minuten schaumig werden lassen. Milch, Butter und Zucker in einem kleinen Topf erwärmen, bis die Butter geschmolzen und die Milch gerade eben warm ist. 4 Becher Mehl in eine große Schüssel sieben und in die Mitte eine Mulde drücken. Hefe, Milch, Salz und Ei zugeben und gründlich vermischen. So viel von dem übrigen Mehl zugeben, bis ein weicher Teig entsteht.

2 Auf einer bemehlten Arbeitsfläche 10 Minuten lang zu einem glatten, elastischen Teig verkneten. In eine gefettete Schüssel legen. Mit zerlassener Butter oder Öl einpinseln, mit Frischhaltefolie abgedeckt an einem warmen Ort 1 Stunde gehen lassen.

3 Den Teig durchwalken und 1 Minute kräftig kneten. Golfballgroße Stücke abreißen und zu glatten Kugeln formen. Die zerlassene Butter mit braunem Zucker und Korinthen mischen. Mit einem Metallöffel jede Kugel in der Glasur wenden.

4 Die Kugeln in zwei Schichten in die vorbereitete Napfkuchenform legen. Mit Frischhaltefolie abgedeckt an einem warmen Ort 1 Stunde gehen lassen. Den Backofen auf 210 °C vorheizen und den Kuchen 10 Minuten backen. Die Temperatur auf 180 °C reduzieren und weitere 30–35 Minuten backen. 10 Minuten in der Form stehen lassen, dann auf ein Kuchengitter stürzen. Die Form wieder über den Kuchen stülpen und abkühlen lassen; dadurch bleiben die einzelnen Brötchen heil. Mit der Unterseite nach oben auf eine Platte legen und in Stücke schneiden oder mit den Fingern Stücke abbrechen. Mit Butter zum Frühstück oder zum Tee servieren.

Hinweis Für das echt amerikanische Monkey Bread benötigt man ein spezielle Backform, eine hohe Napfkuchen- oder Springform tut es aber auch. Die Herkunft des Namens (»Affenbrot«) ist unbekannt, vielleicht hängt er mit der eigenwilligen Form zusamme

Hält sich luftdicht verpackt bis zu 5 Tagen un läßt sich bis zu 1 Mona einfrieren.

…it einem Metalllöffel die Kugeln einzeln …der Glasur wälzen.

Die Kugeln in zwei Schichten in die vorbereitete Backform legen.

Nußbrezel

Zubereitungszeit:
45 Min.
+ 30 Min. Ruhezeit
Backzeit:
30 Min.

Ergibt 1 große Brezel

60 g weiche Butter
2–2 1/2 Becher Weizenmehl (Type 405)
1 Tütchen Trockenhefe
60 ml warmes Wasser
2 EL Zucker
1/4 TL Salz
80 ml erwärmte Sahne
1 Ei, verquirlt
1 Ei, zusätzlich, getrennt
1 TL Wasser, zusätzlich
2 EL Mandelblättchen
Zucker, zum Bestreuen

Füllung
1/2 Becher brauner Zucker
1/2 Becher Walnüsse, gehackt
1 Becher Datteln, gehackt

1 Ein Backblech mit Öl einpinseln. Die Butter in einer kleinen Schüssel mit 2 EL Mehl verkneten. Mit einem Spatel auf ein 10 × 20 cm großes Stück Backpapier streichen. Abgedeckt kalt stellen.

2 Die Hefe im warmen Wasser auflösen. Mit Frischhaltefolie bedeckt 5 Minuten schaumig werden lassen. In einer großen Schüssel 1 Becher Mehl, Zucker, Salz, Sahne, Ei und Hefemischung verrühren. So viel von dem restlichen Mehl zugeben, daß ein weicher Teig entsteht. Auf einer bemehlten Arbeitsfläche 10 Minuten kneten, bis der Teig glatt und elastisch wird. Zu einem 20 × 20 cm großen Quadrat ausrollen. Die gekühlte Butter mit dem Backpapier nach oben zeigend auf die Mitte der Teigplatte legen. Papier abziehen. Die beiden Seitenteile der Teigplatte über der Butter zusammenklappen und andrücken. Zu einem 15 × 30 cm großen Rechteck ausrollen. Das obere Drittel der Teigplatte zu Ihnen hin umklappen und die andere Seite darüberlegen. Es sollten nun drei Teigschichten vor Ihnen liegen. Den Teig drehen, bis die offene Längsseite rechts liegt, und Enden zusammendrücken. Noch je dreimal falten und ausrollen. Wird der Teig zu weich, etwas kühlen und dann weitermachen.

3 **Für die Füllung:** Zucker, Walnüsse und Datteln mischen. Den Teig auf 15 × 70 cm ausrollen. Die Füllung in die Mitte streichen. Die Platte aufrollen und die offene Seite nach unten legen. Die Kanten und Enden mit Eidotter bepinseln und festdrücken.

4 Auf ein vorbereitetes Backblech legen und zu einem »B« formen; die Enden in der Mitte andrücken. Mit Eidotter einpinseln. Abgedeckt 30 Minuten gehen lassen. Den Backofen auf 180 °C vorheizen. Eiweiß mit Wasser verquirlen und die Brezel damit einpinseln. Mit Mandelblättchen und Zucker bestreuen. 25–30 Minuten backen. Auf einem Kuchengitter abkühlen lassen.

Hinweis In Skandinavien hängt vor vielen Bäckereien das Symbol dieses berühmten Kaffeegebäcks als Aushängeschild.

Man kann anstelle einer Brezel auch ein Hufeisen formen.

Hält sich luftdicht verpackt bis zu 5 Tagen und läßt sich bis zu 1 Monat einfrieren.

e Füllung auf dem ausgerollten Teig
rteilen.

Die beiden Enden umbiegen, so daß ein großes »B« entsteht.

Früchtebrot

Zubereitungszeit:
40 Min.
+ 2 Std. Ruhezeit
Backzeit:
45 Min.

Ergibt 1 Kastenbrot

3½ Becher Weizenmehl (Type 405)
1 Becher Weizenvollkornmehl
2 EL Zucker
½ TL Salz
1 Tütchen Trockenhefe
1 EL abgeriebene Schale von unbehandelter Orange
¼ l frisch gepreßter Orangensaft
¼ l heißes Wasser
2 EL Öl
1½ Becher gemischte Dörrfrüchte, z.B. Aprikosen, Datteln, Feigen und Backpflaumen, im Ganzen
½ Becher Sultaninen oder Muskateller-Rosinen
1 EL warme Milch
1 EL Zucker, zusätzlich

1 Eine Kastenform (27 cm lang) mit zerlassener Butter oder Öl einpinseln und den Boden mit Backpapier auslegen. 3 Becher Weißmehl, das Vollkornmehl, Zucker, Salz und Hefe in einer großen Schüssel mischen und in die Mitte eine Mulde drücken. Orangenschale und -saft, Wasser und Öl verrühren und auf einmal zum Mehl geben. 2–3 Minuten rühren. So viel von dem restlichen Mehl zugeben, daß ein weicher Teig entsteht.

2 Auf einer bemehlten Arbeitsfläche 10 Minuten kneten, bis der Teig glatt und elastisch ist. In eine große gefettete Schüssel legen und die Oberfläche mit Öl einpinseln. Mit Frischhaltefolie abgedeckt an einem warmen Ort 1 Stunde gehen lassen.

3 Den Teig nochmals durchkneten und flachdrücken. Das Dörrobst und die Rosinen mischen, die Hälfte davon auf den Teig legen. Die Enden darüberklappen und vorsichtig verkneten, ohne die Früchte zu zerdrücken. Mit der anderen Hälfte der Früchte ebenso verfahren, bis alles gut verteilt ist. Die Früchte sollen dabei nicht zerdrückt werden.

4 Den Teig halbieren und 2 glatte Kugeln formen. In die vorbereitete Form legen. Mit Frischhaltefolie abgedeckt an einem warmen Ort 1 Stunde gehen lassen. Den Backofen auf 210 °C vorheizen und das Brot 10 Minuten backen. Die Temperatur auf 180 °C reduzieren und weitere 30 Minuten backen. Sollte das Brot zu braun werden, mit Alufolie abdecken. Aus dem Ofen nehmen, die Oberfläche mit warmer Milch und Zucker bepinseln und nochmals 5 Minuten weiterbacke Zum Schluß noch einm mit der Milch-Zucker-Glasur einpinseln und aus der Form auf ein K chengitter stürzen. Abkühlen lassen und mit etwas Butter als vollwe tigen Imbiß zum Frühstück oder zum Tee servieren.

Hinweis Das Brot schmeckt auch gut zu Käse.

en Teig über den Früchten zusammen-
appen und behutsam unterkneten.

Die glatten Kugeln in die vorbereitete Kastenform legen.

Malzbrot

Zubereitungszeit:
45 Min.
+ 1 3/4 Std. Ruhezeit
Backzeit:
40 Min.

Ergibt 1 Laib

1/4 l lauwarmes Wasser
1 Tütchen Trockenhefe
1 TL Zucker
2 Becher dunkles Mehl (Type 1050) oder Vollkornmehl
1 Becher helles Mehl
2 TL gemahlener Zimt
1/2 Becher Rosinen
30 g zerlassene Butter
1 EL dunkler Zuckersirup
1 EL flüssiger Malzextrakt
1 EL heiße Milch
1/2 TL Malzextrakt, zusätzlich

1 Eine Kastenform (20 cm lang) mit Öl einpinseln und den Boden mit Backpapier auslegen. Wasser, Hefe und Zukker in einer kleinen Schüssel verrühren. Mit Frischhaltefolie abgedeckt 10 Minuten schaumig werden lassen. Mehl und Zimt in eine große Schüssel sieben, Rosinen zugeben und mischen. In die Mitte eine Mulde drücken und die zerlassene Butter, den Sirup, Malzextrakt und die Hefe hineingeben.

2 Den Teig mit einem Messer durcharbeiten. Auf einer bemehlten Arbeitsfläche 10 Minuten kneten. Zu einer Kugel formen und in eine gefettete Schüssel legen. Mit Frischhaltefolie bedeckt 1 Stunde gehen lassen. Teig durchwalken und dann noch 3 Minuten energisch kneten, bis der Teig glatt ist.

3 Den Teig zu einem 20 × 20 cm großen Quadrat auswalken und aufrollen. Mit der offenen Seite nach unten in die Form legen und abgedeckt 40 Minuten gehen lassen.

4 Den Backofen auf 180 °C vorheizen. Die Milch mit dem zusätzlichen Malzextrakt mischen und den Teig damit bepinseln. 40 Minuten backen, bis das Brot braun ist. 3 Minuten in der Form beiseite stellen, dann stürzen und auf einem Kuchengitter auskühlen lassen.

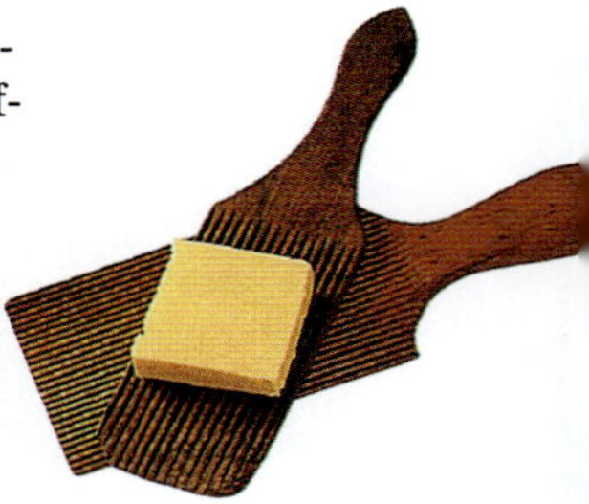

Zimt und beide Mehlsorten in eine große Schüssel sieben.

Mit einem Messer durcharbeiten und die Rosinen unterheben.

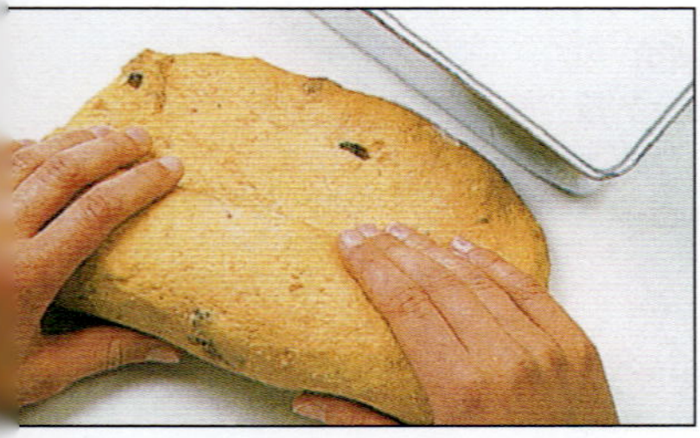

:as Teigquadrat aufrollen, die Nahtstelle
:ch unten legen.

Heiße Milch mit Malzextrakt verrühren und den Teig damit bepinseln.

Register

Vorderer Umschlag, von oben links nach unten: Kartoffelbrot (S. 18), Grissini (S. 26), Sesamzopf (S. 48), Windbeutel (S. 50), Schwedischer Teering (S. 44), Brioche (S. 38).